Los 68

Los 68

París-Praga-México

CARLOS FUENTES

DEBATE

Los 68. París-Praga-México

Primera edición, 2005
© 2005, Carlos Fuentes
D.R. 2005, Random House Mondadori, S.A. de C.V.
    Av. Homero 544, Col. Chapultepec Morales,
    Del. Miguel Hidalgo, C. P. 11570, México, D. F.

Ilustraciones:
En México, tomadas del libro *Imágenes y símbolos del 68. Fotografía y gráfica del movimiento estudiantil*, de Arnulfo Aquino y Jorge Pérezvega (compiladores), México, UNAM, 2004.
En Francia, tomadas del libro *Les 500 affiches de Mai 68*, de Vasco Gasquet (compilador), Francia, Balland, 1978.

www.randomhousemondadori.com.mx

Comentarios sobre la edición y contenido de este libro a:
literaria@randomhousemondadori.com.mx

ISBN: 968-5957-12-6

Impreso en México / *Printed in Mexico*

ÍNDICE

EL 68: DERROTA PÍRRICA

Pirro, rey de Epiro en Grecia, invadió Italia en 280 antes de Cristo y derrotó a los romanos en Heraclea. Pero sus pérdidas fueron tan grandes que tras ganar la batalla exclamó: «Una victoria más como ésta y estoy perdido». De allí el término «victoria pírrica», que empleamos para denotar un triunfo tan costoso que en verdad constituye una derrota.

He pensado en el antiguo rey Pirro estos días para preguntarme si las derrotas aparentes de los movimientos estudiantiles en 1968 y, ese mismo año, del «socialismo con rostro humano» en Checoslovaquia, no fueron en realidad fracasos pírricos, es decir, derrotas aparentes cuyos frutos sólo pudieron apreciarse a largo plazo: derrotas pírricas, victorias aplazadas.

El 68, por principio de cuentas, es uno de esos años–constelación en los que sin razón inmediatamente explicable coinciden hechos, movimientos y personalidades inesperadas y separadas en el espacio.

Todos conocemos, por ejemplo, las razones profundas de los movimientos de independencia en las colonias españolas de América. La formación de élites criollas postergadas por la soberbia de la corona española. La ciega explotación de las economías coloniales a favor de la metrópoli. La expulsión de los jesuitas. La influencia de las revoluciones en Norteamérica y Francia. Todo ello explica las revoluciones hispanoamericanas pero no da cuenta de la asombrosa simultaneidad de los movimientos iniciados en un mismo año, de Buenos Aires a Caracas, y a veces en un mismo mes, de México a Santiago de Chile, en 1810.

Otra fecha de coincidencias pasmosas es 1848, cuando las revoluciones nacionalistas europeas se extendieron de París a Viena y de Milán a Budapest. Marx explicó el 48 europeo como el momento de la ruptura entre la burguesía y el proletariado que, unidos, habían llevado a cabo la Revolución francesa de 1789. Fin de una ilusión de progreso compartido, inicio de la lucha de clases moderna pero, a un tiempo, contradicción y afirmación de las tesis internacionalistas de Marx y de la voluntad nacionalista de Manzini en Italia, de Kossuth en Hungría, de Lasalle en Alemania.

La coincidencia en los inicios no aseguró de manera alguna la coincidencia de los resultados. La aparente victoria de las revoluciones de independencia de Hispanoamérica no condujo a la libertad ni a la prosperidad esperadas. Entre la anarquía y la tiranía, de México a la Argentina tardamos largo rato en darle sentido y contenido a la gesta de 1810. Aún hoy, no terminamos de cumplir las promesas del Congreso de Apatzingán o del Cabildo Abierto de Buenos Aires. También es cierto, como dijo Bolívar con irritación, que no se nos podía exigir a los hispanoamericanos hacer en diez años lo que a los europeos les costó un milenio.

Las revoluciones de 1848 en Europa acabaron por fortalecer, inmediatamente, a las monarquías, pero abrieron, a la larga, caminos inéditos para la legislación social, la democracia política y, desde luego, para la unidad nacional aplazada en Alemania e Italia. En cambio, la pugna entre nacionalismo e internacionalismo no se resolvió en 1848, ni durante la guerra de 1914, ni en el seno de los movimientos extremos, el fascismo germano-italiano y el comunismo soviético-estalinista. El triunfo de éste, al lado de las democracias occidentales, en 1945, tampoco solventó los dilemas planteados por 1848, dividiendo al mundo, horizontalmente, entre el bloque capitalista occidental y el bloque comunista oriental, y verticalmente, entre naciones desarrolladas y naciones en desarrollo.

El 68 en París, Praga y México no es, por todo ello, ajeno a una historia inconclusa. En Francia, la juventud parisina representó la insatisfacción con el orden conservador, capitalista y consumidor que había olvidado la promesa humanista de la lucha contra el fascismo y del pensamiento radical de Sartre en un extremo, de Camus en el otro, y, en el centro de un renacimiento religioso, de Mauriac, Bernanos y Emmanuel Mounier. Pero en el corazón mismo del mayo parisino había, a la vez, una fiesta y una demanda. Marx y Rimbaud, la imaginación al poder, prohibido prohibir, eran palabras de fiesta, pero también de crítica a la autosatisfacción del orden establecido y de afirmación radical, es decir, de retorno a las raíces de la promesa social, cultural y humana de una modernidad pervertida, por no decir enajenada.

De manera paralela a la crítica francesa del mundo capitalista, la juventud de los países de la órbita soviética, primero en Budapest y finalmente en Poznan, encarnaron la crítica al orden impuesto por el Kremlin. El punto culminante ocurrió en Praga porque el «socialismo con rostro humano» propuesto por Dubcek era un intento de conciliación entre las razones estratégicas del imperio soviético y las razones humanas de los ciudadanos capturados dentro del Pacto de Varsovia.

La burocracia comunista, nos explicó el gran escritor húngaro Jorge Konrad, no había logrado aplastar a la sociedad civil. De múltiples maneras, la volvió resistente.

La primavera de Praga no combatía al sistema comunista. Lo humanizaba, lo democratizaba y lo socializaba. Todo ello, capítulo por capítulo y en su conjunto, era anatema para los gobernantes del Kremlin, empeñados, simultáneamente, en mantener los dogmas del totalitarismo estalinista y la unidad, bajo la dirección de Moscú, de los países satélites del Pacto de Varsovia.

El movimiento del 68 mexicano, en cambio, no iba dirigido, sino de la manera más implícita, contra la potencia hegemónica y vecina, los Estados Unidos de América. Demanda democrática, como la describió Octavio Paz, o demanda revolucionaria, como la describe Joel Ortega, el movimiento mexicano proviene de una matriz más nacional que interna-

cional. Representa una ruptura flagrante entre la legitimidad revolucionaria reclamada como fundamento por todos los gobiernos a partir de Carranza, y la evidencia contrarrevolucionaria de las prácticas represivas, antidemocráticas y antipopulares cada vez más asentadas de los gobiernos «emanados de la revolución».

Lázaro Cárdenas salvó la legitimidad revolucionaria, seriamente dañada por el maximato callista, y le permitió a los gobiernos subsiguientes, de Ávila Camacho a Ruiz Cortines, esgrimirla a partir de una ecuación de desarrollo con estabilidad. Las cifras económicas comprobaban lo primero. Las sucesiones políticas sin traumas suramericanos, lo segundo. Pero el hecho era que los aplazamientos, los disfraces retóricos y a veces la brutalidad represiva habían creado un cisma cada vez mayor entre el efectivo desarrollo social, cultural y económico del país, y formas políticas vistas cada vez con más recelo por su incapacidad, precisamente, de dar cabida a la renovada realidad cultural, social y económica del país.

El gobierno de Adolfo López Mateos, en su enfrentamiento con el sindicalismo independiente y el agrarismo recalcitrante —Othón Salazar, Demetrio Vallejo, Rubén Jaramillo—, dio muestras de una incapacidad para negociar la nueva realidad, que se convirtió en santo y seña del régimen de Gustavo Díaz Ordaz. Divorciado, por cuestión de principio político —orden y autoritarismo— y de principio sicológico —paranoia frente al espejo—, del movimiento real de la sociedad y sus reclamos, el gobierno de Díaz Ordaz fue, simplemente, fiel a sus propias justificaciones: mantener, a cualquier precio, el sistema imperante.

Como el mayo parisino, como la primavera de Praga, el 68 mexicano fue, al cabo, derrotado. En Francia, el Partido Comunista y su central obrera, la CGT, le cerraron las puertas a los estudiantes y los entregaron, inermes, al poder político del presidente De Gaulle, hábilmente asistido por su ministro de Educación, Edgar Faure, quien con malicia maquiavélica les concedió a los estudiantes cursos y facultades fantasiosos sobre el Tercer Mundo, la negritud y el teatro del absurdo, mientras aseguraba que las clases dirigentes se siguiesen formando para gobernar, como siempre, en las escuelas de la élite: la Normal Superior y la Nacional de Administración.

En Praga, fueron los tanques soviéticos los que aplastaron la reforma socialista. El régimen pelele de Husák restableció el orden totalitario, los líderes políticos e intelectuales del movimiento fueron humillados, encarcelados o exiliados, y Checoslovaquia regresó a la paz de los sepulcros soviéticos.

En México, en fin, la respuesta brutal de la Plaza de las Tres Culturas desbandó y aplastó el movimiento estudiantil, asegurando la paz olímpica y la hegemonía priista.

Pero si éstas fueron las consecuencias visibles, inmediatas, de esos tres movimientos del 68, ¿cuáles fueron, al cabo, sus consecuencias inesperadas y perdurables?

En Francia, un partido socialista renovado surgió del movimiento de mayo. El Partido Socialista minoritario y dañado de Guy Mollet, desprestigiado por las aventuras imperialistas en

Indochina y Suez, surgió fortalecido del 68. La marcha de Charlety, encabezada por François Mitterrand, fue el inicio de una marcha del Partido Socialista renovado hacia el poder, poder de renovación que demostró en 1997 Lionel Jospin al ganar la posición de jefe de Gobierno.

En Checoslovaquia, la primavera de Praga acabó por ganar la batalla, más allá de sus propios designios originales, al derrumbarse el imperio soviético y ganar la presidencia de la república uno de los líderes de la disidencia del 68, el escritor Václav Havel.

Y en México, en fin, no es comprensible la historia del país del 68 para acá sin la historia del país antes de y durante el 68. La liberación de los presos políticos, el regreso de Heberto Castillo y Demetrio Vallejo a la palestra pública, la derogación del delito de disolución social, pero también las guerrillas sacrificiales durante la presidencia de Luis Echeverría, no son inteligibles sin el 68, como no lo son las reformas políticas que animó Jesús Reyes Heroles durante el gobierno de José López Portillo y los subsecuentes avances en materia democrática que, pese a los vaivenes del modelo económico, los infames asesinatos políticos y las insurrecciones armadas, se han venido consolidando en el país a partir de 1968.

¿Se hubiese renovado el socialismo y desprestigiado el comunismo en Francia con o sin los eventos del mayo parisino del 68?

¿Se habrían derrumbado el poder soviético y la satelización de la Europa central con o sin la primavera de Praga del 68?

19

¿Hubiese transitado México del sistema autoritario monopartidista a un sistema democrático pluralista sin el sacrificio terrible del 68 en Tlatelolco?

Es imposible saberlo. Quizás sin mayo en París, sin primavera en Praga y sin Tlatelolco en México, las nuevas sendas de la democracia y la crítica social se hubiesen, de todos modos, abierto paso.

El hecho es que se abrieron paso con mayo, la primavera y Tlatelolco, y que, a partir de ello, nos corresponde hoy aplicar la sabia recomendación de Paul Ricoeur: «Distingamos los hechos de las palabras, pero reconozcamos que no hay historia explicable sin la unión del decir y el hacer». La verdad y la historia, advierte el pensador francés, se reúnen cuando la palabra reflexiona eficazmente y la acción tiene lugar reflexivamente.

Al reunir estas páginas, sobra decir que no he cambiado una palabra de los textos originales.

PARÍS: LA REVOLUCIÓN DE MAYO

A Laurette Séjourné y Arnaldo Orfila

«¿De dónde vienes, camarada?»: es el primer saludo de los jóvenes que han salido a hacer la poesía y la política en las calles de una ciudad que no me atrevo a reconocer y que, sin embargo, sólo ahora es idéntica a sí misma. Un París de manos abiertas, donde llegar *de* significa unirse *a*.

—*D'où viens-tu, camarade?*

—México.

—*C'est loin, ça.*

—*Pas tellement.*

Unirse al diálogo, a la fraternidad y al amor de una revolución que, en primer lugar, ha tenido lugar en las conciencias y en los corazones.

Cafés, bistrós, talleres, aulas, fábricas, hogares, las esquinas de los bulevares: París se ha convertido en un gran seminario público. Los franceses han descubierto que llevaban años sin dirigirse la palabra y que tenían mucho que decirse. Sin televisión y sin gasolina, sin radio y sin revistas ilustradas, se dieron cuenta de que las «diversiones» los habían, realmente, *divertido* de todo contacto humano real. Durante un mes, nadie se enteró de los embarazos de la princesa Grace o de los amores de Johnny Halliday, nadie se sintió constreñido por el dictado sublimante de la publicidad a cambiar de auto, reloj o marca de cigarrillos. En lugar de las «diversiones» de la sociedad de consumo, renació de una manera maravillosa el arte de reunirse con otros para escuchar y hablar y reivindicar la libertad de interrogar y de poner en duda.

PARLEZ À VOS VOISINS!

Los contactos se multiplicaron, se iniciaron, se restablecieron. Hubo una revuelta —tan importante como las barricadas estudiantiles o la huelga obrera— contra la calma, el silencio, la satisfacción, la tristeza. Padres e hijos encontraron una posibilidad de comunicación (o certificaron que la habían perdido). Maridos y mujeres se separaron por incompatibilidad política, moral y erótica (pues se trata de sinónimos). Otras parejas se conocieron en las barricadas, en el debate permanente del Odéon, en la marcha: el amor nació con la velocidad misma de los acontecimientos. Flo es la hija de una cortadora de películas amiga mía; era la muchacha más inhibida del mundo; estudia en Nantes y ocupó la Universidad con sus compañeros; se inició el debate; Flo supo que tenía algo que decir, algo que antes le era imposible comunicar; Flo se liberó en una ciudad de la cual desaparecieron los policías, convocados con toda urgencia a París: Nantes, la ciudad y su Uni-

versidad, y la linda Flo, fueron verdaderamente libres por primera vez. Madeleine es la inteligente editora de una colección de libros infantiles en una gran casa editorial; su marido es productor de televisión. En el momento más tenso de las barricadas, Madeleine convirtió su apartamento en refugio y hospital de estudiantes heridos; el marido le reclamó que su actitud lo comprometía: si se trabaja en la ORTF, hay que estar bien con el gobierno. «Escoge entre Pompidou y yo», le contestó Madeleine. Jean-Jacques, un sicoanalista amigo, se queja amargamente: «Los consultorios se han vaciado, pero realmente vaciado. La revolución ha sustituido al siquiatra. Nos sentimos inútiles. Ayer vino a verme una muchacha, cliente mía, y me dijo: "Ustedes quieren adaptarnos a esta sociedad idiota. Me niego a ser adaptada. Quiero ser rechazada y rechazar el mundo actual". Y me dejó, como recuerdo, un adoquín sobre la mesa». Tú, André, eres comunista y te manifiestas con tu bandera roja; tú, Anne-Marie, perteneces a las Juventudes Revolucionarias Marxistas y te manifiestas vestida de negro con tu banderita negra. Cada uno lee un periódico y no cree lo que lee. Tú, André, no puedes creer que *L'Humanité*, tu periódico, llame a Daniel Cohn-Bendit «anarquista alemán» y se asocie a la decisión policiaca de expulsar al dirigente estudiantil de Francia. Tú, Anne-Marie, que también eres hija de judíos alemanes emigrados a Francia para escapar de las prisiones y la muerte hitlerianas, no crees que veintiocho años después de ganada la guerra (y tú tienes sólo diecinueve) los periódicos nacidos de la Francia Libre puedan llamar a Cohn-Bendit «canalla judío extranjero». André y Anne-Marie no se conocen. Se miran. Miran lo que están leyendo. Se toman de la mano. Se unen a la enorme manifestación que avanza hacia la plaza Denfert-Rochereau y gritan grave, orgullosamente, con el millón de estudiantes en marcha: «¡Todos somos judíos alemanes!».

Los desconocidos dejaron de serlo. La revolución, una vez más, fue un encuentro y un abrazo: para la revolución no hay *desconocidos*.

Cuanto más hago la revolución, más ganas tengo de hacer el amor; cuanto más hago el amor, más ganas tengo de hacer la revolución.

Hubo lo irrepetible y hay lo irreversible.

Irrepetible, y no podía ser de otra manera (poesía, revolución, consagración del instante, Octavio Paz, alta incandescencia de la marea temporal) la explosión libertaria, el júbilo, la imaginación, el humor, el exceso, la locura, en el patio de la Sorbona, en los debates del Odéon, en las manifestaciones gigantescas, en las marchas exaltadas hacia las puertas de las fábricas a fin de sellar la alianza (impedida por la Confederación General de Trabajadores y el Partido Comunista Francés) de los estudiantes con los obreros, en el incendio de la Bolsa de París al grito de «¡Templo del becerro, arde!», en las terribles luchas nocturnas de las barricadas de la rue Gay-Lussac, el Boul'Mich', Saint-Germain-des-Prés, la place Edmond Rostand y la rue d'Assas contra los brutales CRS (Compañías Republicanas de Seguridad, cuerpo élite de la policía francesa) que avanzan entre el humo y las llamas y los árboles caídos, lanzando gases letales, golpeando indiscriminadamente a peatones, periodistas y parroquianos de cines y cafés, ensañándose con las mujeres, a las que matraquean al grito de «putains, putains!», arrojando granadas plásticas hacia las ventanas abiertas, persiguiendo a los estudiantes por las escaleras de los inmuebles y hasta adentro de los apartamentos donde se han refugiado.

CRS: SS

Irrepetible, quizás, esa imagen de Eisenstein: los CRS avanzan aullando para darse coraje, escondidos detrás de enormes escudos de metal, como los caballeros teutones de *Alejandro Nevsky*, mientras los estudiantes contraatacan protegidos con lo que han encontrado en los camerines del Odéon: las corazas de *Numancia*, los cascos de *Británico* (y la improvisada defensa contra los gases: un pañuelo empapado en jugo de limón y bicarbonato untado sobre los párpados). Una *kermesse* de la libertad, sí, pero una *kermesse* heroica, arriesgada. La bestia ha mostrado el pelo: son las cerdas del fascismo. Y un joven estudiante, nuevo Gavroche del año 68, canta mientras prepara un coctel Molotov:

A Paris après Lamartine
Et Hugo même Eugène
N'y avait pas pensé
Pour pleurer
Il n'y a que les lacrymogènes.

Testimonio de un enfermero que espontáneamente se presentaba a curar a los heridos en el Barrio Latino: «Aunque llevaba puesto mi uniforme, fui detenido por los CRS y conducido al ex hospital Beaujon. Insistí en que mi función sólo era aliviar a los heridos. Se rieron de mí, me llamaron maricón, empezaron a golpearme con el bastón blanco, en la cabeza, el vientre y los testículos. Los muchachos con barba o pelo largo fueron particularmente brutalizados. Golpes de matraca, paso entre dos hileras de *flics* que los pateaban. Las muchachas eran desvestidas por los policías entre gritos injuriosos y luego palpadas, humilladas, obligadas a ponerse en cuatro patas…».

Conocer un caso es conocerlos todos. Las Éditions du Seuil han reunido esta crónica de la infamia en un *Libro Negro de las Jornadas de Mayo*. La policía carece de imaginación. Nada puede ofenderla más que una revolución que proclama: «L'imagination prend le pouvoir».

La imaginación toma el poder con adoquines y con palabras, primero. El *pavé*, el bello y humilde adoquín de las calles de París, ha adquirido hoy un rango casi fetichístico: fue la primer arma de contraataque de los estudiantes brutalizados

por la policía; el arma, como ha dicho Sartre, no de la violencia, sino de la *contraviolencia* de centenares de miles de estudiantes que jamás hicieron otra cosa que defenderse. Hubo violencia sólo cuando la policía la inició. Manifestación sin policía: manifestación pacífica.

—Sí, camarada —me dice un estudiante esta tarde en la Facultad de Ciencias del Halle aux Vins, convertida en centro de venta de libros y carteles y grabados que los artistas y escritores de Francia han puesto a la venta para sostener la lucha estudiantil—. Los adoquines se convirtieron en nuestro medio de comunicación de masas. Salimos a las calles porque no tenemos otra manera de hacernos escuchar en una sociedad donde los *mass media* han sido monopolizados y domesticados. Contra la abundancia de comunicaciones inútiles, hemos enviado el mensaje imprescindible de nuestras piedras y nuestras palabras.

Y quizás hay otra razón: «Debajo de los adoquines están las playas».

Y las palabras. Los muros de París hablan: sueños, consignas, cóleras, deseos, programas, bromas, desafíos y la resurrección de una heterogénea progenie reunida en una especie de editorial permanente de piedra y pintura.

Marx: Hay que transformar al mundo.

Heráclito regresa. Abajo Parménides.

B. Péret: El arte no existe. El arte son ustedes.

Unamuno: No vendo el pan, sino la levadura.

Santayana: Lo difícil es lo que puede hacerse en seguida, lo imposible es lo que toma un poco más de tiempo.

San Agustín: La guerra y la injusticia son el resultado de la propiedad.

A. Breton: 17 derrocará siempre a 71.

Che Guevara: Qué importa dónde nos sorprenda la muerte.

Péguy: Todo comienza en mística y termina en política.

Au pays de Descartes, les conneries se foutent en carte.

Marx: Mejor un fin espantoso que un espanto sin fin, es el testamento policiaco de toda clase agonizante.

Valéry: Toda visión de las cosas que no es extraña es falsa.

Heráclito: El combate es el padre de todas las cosas.

Queneau: *Réforme, mon cul.*

Shakespeare: Hay método en nuestra locura.

Baudelaire: Dios es un escándalo, pero un escándalo rentable.

Lenin: Aprender, aprender, aprender para actuar y comprender.

Bakunin: El socialismo sin la libertad es el cuartel.

Julio César: Vine, vi, creí.

Vive Bonnot.

Vive Babeuf.

Gide: Los prejuicios son los cimientos de la civilización.

René Char: La vida ama la conciencia que se tiene de ella.

Rimbaud: Hay que cambiar la vida.

Y hay lo irreversible. Esa suma de citas, textos y eslóganes expresa y define el sentido moral de la revolución (que no es ajeno a su sentido del humor) y la conciencia histórica de la cual ha partido. Entre la silenciosa declaración de la Guerra Fría y la ruidosa explosión de la Sociedad de Consumidores, llegó a establecerse como fatalidad lo que Camus sólo expuso como problema: la revolución es el único acto que puede transformar las condiciones sociales intolerables, pero al mismo tiempo la revolución puede conducir y de hecho ha conducido a la creación de situaciones sociales intolerables. Pienso, después de conversar durante tres semanas con viejos y nuevos amigos franceses, que una de las raíces del actual movimiento histórico es el rescate de esa idea como *problema* a fin de demostrar que no se trata de una *fatalidad*: debe haber revolución con libertad.

Las banderas negras, la nueva vigencia del pensamiento de Bakunin y Rosa Luxemburgo, pueden asustar no sólo a los reaccionarios tradicionales sino a los dogmáticos del socialismo. Pero para los jóvenes revolucionarios de Francia, Italia, Alemania, Holanda, Inglaterra, es sólo el correctivo permanente de su profunda visión marxista, un «marxismo desempolvado», como diría Fidel Castro, un marxismo sacado de las sombras incensarias de la iglesia a respirar el aire libre de la calle; un marxismo, en fin, que opone tanto al neocapitalismo de los *managers* como al neosocialismo de los burócratas el pensamiento de Ernesto Guevara: el rechazo de la ganancia como motivo de la producción, la creación activa de condiciones revolucionarias, el indeclinable sentido internacional de los movimientos revolucionarios.

Esa conciencia proviene de un sentimiento de enajenación y se expresa, originalmente, en un movimiento de *contestation* (palabra clave de la revolución francesa: *contestation, contester*: algo más que cuestionar, poner en duda, someter a examen, desafiar sin tregua, debatir a todos los niveles, impedir la consagración esclerótica de las cosas: contestación, respuesta, poner las cosas en su lugar, en situación crítica permanente).

Enajenación: en el mismo lugar donde comienza *Rayuela*, en el pasaje que conduce de la rue de Seine al Quai de Conti, donde Oliveira buscaba a la Maga, hay ahora un cartel azul y negro con un dibujo en blancos punzantes de Julio Silva y un texto de Julio Cortázar: «Ustedes son las guerrillas contra la muerte climatizada que quieren vendernos con el nombre de porvenir».

Y esto es lo primero que hay que comprender sobre la revolución de mayo en Francia: que es una insurrección, no contra un gobierno determinado, sino contra el futuro determinado por la práctica de la sociedad industrial contemporánea. Asistimos a una revolución de profundas raíces morales, protagonizada en primera instancia por la juventud de una nación desarrollada. Y estos jóvenes dicen que la abundancia no basta, que se trata de una abundancia mentirosa. Primero, porque pretende compensar con la variedad y cantidad de los bienes de consumo la uniformidad y la paucidad de los contenidos reales de la vida: comunicación, amor, cultura, dignidad personal y colectiva, sentido de la cualidad del trabajo, sentido de autonomía crítica de los individuos y de las orga-

nizaciones, relaciones concretas y decisivas entre cada hombre
y lo que hace, dice, rechaza o escoge.

Todas estas posibilidades, las verdaderamente humanas, se
han perdido en la sociedad de consumidores, donde un aparato económico y político impersonal, intocable, por nadie
elegido y por nadie revocable (por más que, formalmente, los
pasajeros equipos de administración, miembros de un mismo
sistema, lo sean), determina *a priori* las «necesidades» de los individuos de acuerdo con las necesidades de una producción
cuya expansión sólo se concibe mediante el desgaste permanente. Expansión deficitaria, en la jerga del neocapitalismo.
Muerte climatizada, en el lenguaje de Julio Cortázar. Pérdida
suntuaria de la energía excedente: la «parte maldita» en la visión de Georges Bataille (el primero, el más profundo crítico
de la sociedad de consumo). Consagración de la basura. Dictadura sin terror y sin entusiasmo, según Jean-Marie Domenach:
alternancia entre la insatisfacción y la saciedad, beata fraternidad entre poseedores (desventurada inversión de la solidaridad entre desposeídos) que se reconocen sólo a través del uso
de los mismos bienes, pero sólo hasta que el uso es superado
por una nueva moda (*Le retour du tragique*). Pérdida del *sentido*
a base de darle un sentido a todo, incluso a lo que carece de
sentido.

Refiriéndose a un tipo ejemplar de sociedad de consumidores, la del llamado «milagro alemán», Hannah Arendt ha
escrito: «En las condiciones modernas, no es la destrucción la
causa de la ruina, sino la conservación, puesto que la durabili-

41

dad de los objetos conservados constituye, en sí misma, el más grande obstáculo al proceso de reemplazamiento de los objetos, cuya aceleración constante es la única constante del sistema una vez que ha establecido su dominación» (*The Human Condition*). Este proceso se da en las sociedades altamente industrializadas, de sobreabundancia, como una respuesta a la crítica socialista de la sobreproducción. En vez de quemar la producción excedente, como se ha hecho en Brasil con el café, a fin de mantener su rentabilidad, se fomenta una multiplicidad de *necesidades innecesarias* que deberán satisfacerse mediante objetos de consumo acelerado y fácilmente reemplazables.

La publicidad se convierte en el brazo ejecutor de esta demanda innecesaria, que no sólo resuelve un problema interno de la economía capitalista clásica, sino el problema de la sociedad industrial tecnológica. «Los campos de concentración —escribe Herbert Marcuse—, los exterminios en masa, las guerras mundiales y las bombas atómicas no significan un "retorno a la barbarie", sino la actualización irreprimida de las realizaciones de la ciencia, la tecnología y la dominación modernas» (*Eros and Civilization*). La conciencia *desgraciada* de la sociedad de consumidores se adquiere cuando se comprende que nuestras vidas de *cheerful robots*, para emplear la expresión de C. Wright Mills, son el sustituto mediatizado, reprimido, del mundo concentracionario y de la destrucción nuclear. Vivimos la forma más sublimada del genocidio: un Dachau del espíritu rodeado por los brillantes objetos perecederos de una Disneylandia del consumo.

Pero el mundo industrial moderno no sólo se levanta sobre la «desgraciada euforia» (Marcuse) de sus propios ciudadanos, sino sobre la muerte y la explotación de los hombres marginales del mundo infraindustrial. La muerte, cuando una sociedad de excedente industrial como la norteamericana debe asegurar su salud convirtiendo la «pérdida suntuaria» en una lluvia de bombas de napalm y fósforo (*ad majorem gloria* Dow Chemical Co.) sobre la población indefensa de una pequeña nación rural. No es fortuito que la guerra de Vietnam haya sido el gran catalizador de la revolución de la juventud occidental. En esa pesadilla del crimen, la inmoralidad, la estupidez y la soberbia que todos han visto cotidianamente en las pantallas de televisión, todos vieron la imagen extrema de la sociedad en la que vivían. Sentí esto patentemente, hace unas semanas, cuando visité al joven y ya grande escritor mexicano José Emilio Pacheco en la Universidad británica de Essex: los alumnos habían impedido que hablara en ella un representante de Porton, la firma inglesa que realiza estudios de guerra bacteriológica para el gobierno de los Estados Unidos. De un golpe, la revuelta estudiantil (ESSEX, TERRITORIO LIBRE DE LA GRAN BRETAÑA) significaba un rechazo de la política imperialista norteamericana, una solidaridad con el Tercer Mundo y una crítica de la sociedad de consumo inglesa.

De esta manera, detrás de Vietnam, ha nacido en los jóvenes del mundo desarrollado una nueva conciencia: la guerra armada contra un pueblo desarmado es sólo la expresión más repugnante de una guerra continua, desarmada, contra todos los países pobres, fuente de mano de obra y materias primas baratas, objeto de intervenciones políticas y de deformaciones culturales perpetuas, humillados recipientes del *desgaste del desgaste* en cuanto consumidores marginales de las máquinas fatigadas, los aviones inservibles, los programas de televisión, los cosméticos y los juguetes plásticos del mundo industrial.

No he hablado, en los últimos meses, en Londres, en París, en Milán, en Bari, en Wivenhoe, en Roma, con un solo estudiante europeo que no tenga conciencia del hecho central: mientras el mundo industrial se satura de riquezas inservibles, el mundo subdesarrollado carece de lo elemental. Recuerdo estas palabras de un estudiante con el que conversé en Bari, esa comunidad universitaria italiana particularmente lúcida: ¿En qué se distingue del fascismo una sociedad que es incapaz de distribuir su enorme riqueza acumulada entre los países hambrientos de Asia, África y América Latina? ¿No practica cada capitalista europeo y norteamericano una exterminación en masa comparable a la de los nazis? Dígale a sus lectores y a sus amigos en Hispanoamérica que no se dejen desorientar, que esta lucha de los jóvenes europeos es a favor de ustedes, conscientemente. Estamos continuando, por otros medios, la lucha de Zapata y Guevara, de Camilo Torres y Frantz Fanon. Luchamos contra el mismo mundo de la opresión centralizada.

Contra ese mundo (que también es el nuestro, puesto que somos sus víctimas) se han levantado con particular resolución y coraje los jóvenes estudiantes y obreros franceses. Un cartel

de la Sorbona proclama: «La revolución que se inicia pondrá en duda no sólo la sociedad capitalista sino la sociedad industrial. La sociedad de consumo debe morir una muerte violenta. La sociedad enajenada debe desaparecer de la historia. Estamos inventando un mundo nuevo y original. La imaginación ha tomado el poder».

Quienes hemos conocido el maravilloso espíritu de estas jornadas, no hemos abandonado por ello el espíritu crítico —la *contestation*— que la propia revolución, fiel a sí misma, reclama. Más adelante, al resumir las entrevistas y discusiones con estudiantes en Nanterre, con amigos franceses y durante los debates de los Comités de Acción Revolucionaria en las calles de París, dejaré que los propios interesados hagan la crítica de los acontecimientos. Pero desde ahora podemos preguntarnos, con toda seriedad, si realmente asistimos a la primera revolución del mundo industrial: la primera prefiguración del siglo XXI, primera revolución que realiza las previsiones de Marx, hasta ahora postergadas por las imprevistas revoluciones en el mundo subdesarrollado.

Cincuenta años de insurrecciones en la periferia habían hecho imprevisible una revolución en el centro. El dogma de los sociólogos de la abundancia coincidía con el de los teóricos de la revolución: ésta es imposible en el mundo capitalista reformado. La porosidad social, la liquidación del *laissez-faire*, la intervención económica del Estado, la extensión de beneficios marginales a la clase obrera y el consiguiente aburguesamiento de ésta, el acceso mayoritario al consumo, la capacidad de neutralizar los efectos adversos y de absorber, hasta hacerlas inocuas, todas las formas de protesta: todo ello habría acabado por crear un neocapitalismo estable, próspero, beatamente satisfecho de sí mismo. Hoy (ya es mucho, y es irreversible) estas teorías han caído por tierra. Los jóvenes franceses, norteamericanos, alemanes, italianos, no se han adecuado a la sociedad de consumo.

MERDE AU BONHEUR

Y cuando diez millones de obreros entran en huelga por algo más que simples reivindicaciones económicas (aunque esta actitud original haya sido posteriormente frustrada por los dirigentes de la CGT y el PCF), ya no es posible hablar de una clase obrera simplemente «aburguesada».

¿Qué ha sucedido?

Primero: la abundancia tiene necesidades que la necesidad desconoce. Visto desde cierta perspectiva, puede decirse que sólo cuando las carencias primarias son colmadas, aparecen con toda su fuerza las carencias superiores. Ya en 1938, hablando de una sociedad, sin embargo, tan diferente de ésta, Emmanuel Mounier escribía: «Abundancia, paz, diversiones, aumentos de salarios, todo esto es perfectamente legítimo, ¿pero es todo lo que puede decirse a favor de una civilización moribunda?... ¿Dónde está la atracción revolucionaria de las grandes épocas?» (*Les Certitudes Difficiles*). Y el verdugo de la Comuna, Thiers, había proclamado con definitiva soberbia: «El tiempo de los grandes problemas morales ha muerto». Por lo pronto, los jóvenes de hoy han desmentido a Thiers, han devuelto la esperanza a las palabras de Mounier, que tanto detestó «el ideal burgués de la seguridad» y han reivindicado las de Saint-Just: «El problema de la verdadera felicidad ha sido planteado en Europa».

Segundo: Marx ha regresado a Europa de un largo paseo por las tundras, los campos de arroz y los cañaverales de la periferia portando una verdad esencial: el socialismo auténtico nacerá de la plena expansión de las fuerzas productivas del capital y de la conciencia límite de las contradicciones entre la producción y el trabajo, entre la riqueza material y la miseria humana. Hemos llegado a esa expansión y a ese límite: los jóvenes franceses han prendido la mecha de una explosión irreversible, la del sentimiento de enajenación dentro de un sistema que lo ofrece todo menos lo primero que Marx indicó como valor supremo: la realización de todas las posibilidades de la personalidad humana.

Seamos realistas: pidamos lo imposible.

Los hijos de Marx y de Rimbaud: hay que transformar al mundo, hay que cambiar la vida. Las estatuas de Pasteur y de Pascal en la Sorbona lucen pañoletas rojas al cuello y sostienen banderas negras entre los brazos. Victor Hugo, viejo sensualista, parece culminar un placer legendario y secular con esa maravillosa muchacha morena que hoy se sienta en sus rodillas de piedra.

JEUNES FEMMES ROUGES, TOUJOURS PLUS BELLES

La cabeza de Descartes sirve de apoyo a dos jóvenes que, en el patio atestado, escuchan esta noche a Jean-Paul Sartre (no todos se hacen escuchar aquí; Françoise Sagan fue corrida a insultos; Aragon fue tratado de «viejo pendejo» y contestó, no sin dignidad: «Algún día, ustedes también serán viejos pendejos»):

—Es evidente que el actual movimiento de huelga se originó en la insurrección de los estudiantes. La CGT se ha visto obligada a seguir a los estudiantes y a los obreros. Ha debido acompañar el movimiento para «peinarlo». La CGT ha querido evitar esta *democracia salvaje* que ustedes han creado y que tanto molesta a las instituciones. Porque la CGT es una institución. Lo que está en trance de formarse es una nueva concepción de la sociedad basada en la plena democracia, una alianza del socialismo y la libertad. Porque socialismo y libertad son inseparables. La dictadura del proletariado a menudo ha significado la dictadura sobre el proletariado. Para que haya socialismo con libertad, el movimiento debe seguir en el verdadero plano de *contestation* en el que hasta ahora se ha mantenido.

La *contestation*: todo ha sido cuestionado en Francia.

Un comando de choque formado por Marguerite Duras, Michel Butor, Jean-Pierre Faye y Alain Jouffroy toma por asalto el Hotel de Massa, sede de la esclerótica Société des Gens de Lettres, clava la bandera roja en el techo y establece una nueva Unión de Escritores «abierta a todos los que consideran la literatura como una práctica indisociable del actual proceso revolucionario. Esta Unión de Escritores será un centro permanente de *contestation* del orden literario establecido».

En el Théâtre de l'Est se establecen los Estados Generales del Cine; Louis Malle, Alain Resnais, René Alio y Jacques Rivette son los animadores de una renovación que se plantea el problema central: ¿cómo asegurar la libertad de la creación cinematográfica, una libertad por lo menos equiparable a la del escritor o el pintor? William Klein y Jean-Luc Godard están en las calles, filtrándolo todo; los grupos pro-chinos atacan a Godard y un muro de la Sorbona proclama: «La cultura ha muerto y Godard no podrá remediarlo», pero *Pierrot le Fou*, *La Chinoise*, *Masculin-Féminin*, *Deux ou Trois Choses que Je sais d'elle* y *Weekend* tendrán para siempre el valor de la prefiguración, acaso la única ofrecida por un artista francés. Todos quedan en su lugar; Claude Lelouch, al primer signo de represión, traiciona a la revolución (como antes había traicionado al cine con sus *soap-operas* para consumidores) y Alain Delon se niega a apoyar la huelga solidaria de los actores: allí están, por lo contrario, Michel Piccoli y Juliette Greco, Catherine Deneuve, Jean-Louis Barrault.

La Sociedad de Periodistas proclama: «La prensa sólo es libre cuando no depende ni del poder gubernamental ni del poder del dinero, sino, exclusivamente, de la conciencia de los periodistas y de los lectores», y los obreros impresores y tipógrafos vigilan sus propios talleres, impiden la publicación de noticias falsas, tendenciosas o contrarrevolucionarias.

Todos los directores de teatros populares y de casas de la cultura se reúnen en el teatro de la Cité de Villeurbaine. Preside Roger Planchon; intervienen activamente Jean Vilar y Antoine Bourseiller. Su *contestation* del teatro burgués comercial se traduce en estas palabras: «Ahora es totalmente claro que ninguna definición de la cultura será válida a menos que sea útil para los propios interesados, es decir, en la exacta medida en que sea el instrumento que necesita el "no-público". Podemos estar seguros de que la cultura, entre otras cosas, deberá proporcionar al "no-público" un medio de rompimiento con su actual aislamiento, una manera de salir del *ghetto* a fin de situarse, cada vez más conscientemente, en el actual contexto histórico y social y de liberarse, cada vez más, de las mistificaciones de todo género que tienden a convertirlo en cómplice de las situaciones reales que le son infligidas. Por ello, todo esfuerzo de orden cultural será vano si no se propone, expresamente, ser una empresa de politización, en el sentido de multiplicar las ocasiones para que ese "no-público" escoja libremente, más allá del sentimiento de impotencia y de absurdo provocado por un sistema social en el que los hombres, prácticamente, jamás están en medida de inventar juntos su propia humanidad».

Los investigadores científicos crean comités democráticos en los laboratorios con miras a la autogestión y a la eliminación de todo trabajo que, directa o indirectamente, pueda ser utilizado para fines bélicos o represivos.

Enfermeros y doctores establecen la cogestión en los hospitales a través de comités destinados a renovar la administración de los servicios de salud en un sentido democrático.

Los estudiantes de teología de la Universidad de París declaran: «La institución eclesiástica, dado su lugar de privilegio en las sociedades occidentales, contribuye, con sus silencios, con sus tomas de posición obligadamente conciliatorias, con su prédica de la paz allí donde no hay paz, al mantenimiento del *statu quo*. La teología no hace sino prolongar las contradicciones internas del sistema capitalista. Esto lo hemos comprendido definitivamente en las barricadas. Tomar partido por los oprimidos significa hoy entrar deliberadamente y sin reservas en el proceso revolucionario». La misa en la iglesia de St. Honoré d'Eylau es interrumpida por jóvenes cristianos al grito de «¡Dios no es conservador!». Clérigos y estudiantes discuten en el foro de la Sorbona: ¿qué esperan los cristianos para iniciar la revolución dentro de sus iglesias, a fin de hacerlas más evangélicas?, ¿por qué no han de ejercer la violencia los cristianos contra un sistema capitalista que practica la violencia endémica en el mundo subdesarrollado?, ¿puede concebirse, actualmente, la caridad sin lucha?

Con el crítico Jean Cassou a la cabeza, todos los pintores franceses, incluyendo algunos particularmente favorecidos por el régimen, como Bazaine, retiran sus obras de cualquier exposición oficial, en Francia o en el extranjero; y al llamado de los estudiantes de Bellas Artes, Alechinsky, Ypousteguy, Bona, Cattolica, Matta, Silva, y escritores como Butor, Cortázar, Mandiargues, contribuyen con los carteles que han representado un aspecto tan vital y corrosivo de la lucha.

Hay la *contestation* un poco delirante, como la de los alumnos del Conservatorio que exigen la «expropiación de las estructuras sonoras», o la de los grupos de adolescentes que invaden el Odéon pidiendo una educación sexual pronta y adecuada y reclaman el derecho al orgasmo. Y hay la huelga heroica, prolongada, severa, fundamental, de los trabajadores de la televisión francesa (ORTF): se exige un consejo de administración proporcional, en el que todas las tendencias políticas estén representadas y una programación que dé cabida a las principales expresiones del pensamiento y a las grandes corrientes de opinión: la libertad de cátedra televisiva contra el monólogo-monótono del régimen.

Y los arquitectos, los ingenieros, los urbanistas, los químicos, los sicoanalistas, los antropólogos, los lingüistas, los técnicos: no hay una sola profesión francesa que no haya sido sometida a crítica y proyectada hacia el porvenir por sus propios miembros, súbitamente concientes de que la revolución consiste en asumir libremente responsabilidades concretas dentro de cada círculo de trabajo, sacudirse las tutelas administrativas abstractas.

Hablo de lo poco que he podido ver o saber personalmente; pero mis amigos de Nantes me cuentan lo que fue la huelga en la fábrica de Sud-Aviation. Los obreros allí se cuen-

tan entre los mejor pagados de Francia, y es difícil distinguir entre un trabajador, un estudiante y un profesionista. Los obreros fueron a la huelga, primero por solidaridad con los estudiantes; en seguida, porque el movimiento revolucionario les hizo comprender que había algo más importante que los salarios: la dignidad del trabajo como prueba de autonomía individual y colectiva. Durante tres semanas, los trabajadores de Sud-Aviation se rigieron sin administradores patronales. Mantuvieron las máquinas en perfecto estado. Aplicaron al pie de la letra las normas de seguridad. Los técnicos de la fábrica dejaron de ser una élite y cooperaron igualitariamente con los trabajadores. Los obreros fueron invitados a presidir reuniones en la Universidad y a tomar parte en los debates. Los estudiantes se acercaron a ofrecer sus servicios profesionales en la fábrica. Entre todos, se dieron cuenta de que eran adultos: podían trabajar en perfecto acuerdo, sin la tutela remota de los gerentes burgueses. Pero la situación era demasiado novedosa. Un paso más y era la autogestión, perfectamente posible, perfectamente satisfactoria. Entonces la CGT comunista desvió esa fuerza revolucionaria hacia la solución burguesa: aumento de salarios, semana de cuarenta horas…

CEDER UN POCO ES CAPITULAR DEMASIADO

—¿De dónde vienes, camarada? Ven, únete a nosotros. Vamos a Nanterre.

59

La revolución nació en Nanterre, ese conglomerado gris, concentracionario, de bloques de cemento construidos a toda prisa para contener el desbordamiento estudiantil de la Sorbona. Imagen de una sociedad que distribuye lo superfluo a manos llenas pero niega lo necesario. Hay que regresar a Nanterre, erial prototípico de la sociedad de consumidores. Aquí, los comités de estudio y planificación estudiantiles funcionan noche y día, desde el principio de la revolución. La profunda seriedad y capacidad de trabajo del estudiantado revolucionario es palpable en estos comités decisivos, disciplinados y generosos, abiertos a todo diálogo y a toda sugestión. Estamos entre los dos turnos de las elecciones legislativas. Soberbiamente indiferentes a ese trámite formal, los estudiantes preparan la Convención Nacional de Universidades que habrá de iniciarse en unos días.

—¿Qué condiciones concretas privaban en la Universidad?

—Dicen que vivimos en la sociedad de la abundancia, pero en la Universidad sólo hay abundancia de alumnos y carencia de todo lo demás. En 1945, había unos ciento veinte mil estudiantes en las universidades francesas; hoy la suma asciende a más de medio millón y sólo en la Sorbona hay ciento sesenta mil. No cabemos en las aulas y debemos escuchar las clases desde los corredores, a través de un sistema de magnavoces. Más de treinta mil estudiantes desean utilizar la biblioteca, pero sólo hay cupo para quinientos lectores. Nos vemos obligados a leer y preparar clases y exámenes en los cafés, en los jardines públicos (cuando el tiempo lo permite) o en los cuartos de criada que nos alquilan en el Barrio Latino por 250 francos al mes. En estas circunstancias, hemos perdido el contacto con los profesores. Casi todos se limitan a dictar la misma cátedra desde hace treinta años, sin que el alumno tenga la menor posibilidad de poner en duda esa enseñanza casi siempre periclitada, rara vez revisada o puesta al día. El trabajo de seminarios es prácticamente desconocido. La iniciativa del estudiante es desanimada; la mayoría no lee libros, sólo los apuntes mimeográficos para pasar exámenes a fin de año. El objeto de la actual Universidad es memorizar una cultura muerta dentro de un sistema de remoto paternalismo. Es decir: la Universidad está hecha a la imagen del Estado burgués.

—¿Qué proponen ustedes para remediar esa situación?

—A un nivel inmediato, la reforma universitaria. Una relación nueva, no jerárquica, entre estudiantes y profesores. La Universidad es un reflejo de la vieja estructura napoleónica de las instituciones públicas: un centralismo jerarquizado, donde todo proviene, como un don gracioso, de arriba hacia abajo. Proponemos comisiones mixtas de profesores y estudiantes a fin de discutir la forma y el contenido de la enseñanza. Gracias a la revolución, se ha conquistado ya una base de cooperación, nos acercamos a procedimientos de reciprocidad y respeto. Queremos una gestión paritaria de la Universidad. No que nos «enseñen», sino ejercer un control real sobre la enseñanza a fin de adquirir una cultura que vaya más allá del comercio o de la especialización. Queremos un nuevo

contrato de enseñanza, pruebas de control en vez de exámenes, con participación de estudiantes en el jurado. Queremos
instituciones más ligeras, renovables, abiertas y modernas y
esto no sólo por razones intrínsecas, sino en beneficio del estudiantado de origen obrero. Actualmente sólo 20 por ciento
de los estudiantes universitarios son hijos de obreros. El tiempo entre el ingreso a la universidad, la licenciatura y la *agrégation*
es demasiado largo; muy pocas familias obreras pueden pagarlo
y si lo hacen es con grandes sacrificios. La actual esclerosis se
debe a dos factores: una tutela administrativa totalmente ajena
a las necesidades y aspiraciones de los estudiantes y un reino
clasista de feudalidades dentro de la Universidad. ¿Quién es el
rector Roche? Un hombre ajeno a la Universidad, el representante de una cierta feudalidad dentro de los grupos del orden establecido —o, como lo llamamos nosotros, el desorden
establecido—. Igual que en la sociedad, en la Universidad somos súbditos, no ciudadanos. Ahora hemos decidido actuar
como adultos, establecer una relación auténtica entre nuestros
estudios y nuestra futura actuación profesional.

—¿Hay actualmente una gran divergencia entre ambos?

—Se nos acusa de ser demasiado «desinteresados». Es cierto. Frecuentamos la teoría más que los hechos. Pero echarnos
esto en cara quiere decir que hay una grave ruptura entre el
pensamiento y la acción. Quiere decir que yo, como estudiante de sociología, puedo leer libremente a Marx, a Engels,
a Bakunin, al Che Guevara y a Marcuse, sólo si acepto que
una vez que salga de la Universidad debo renegar de todo lo

que he aprendido y aceptar como borrego mi situación prevista en una sociedad ordenada para siempre y sin mi consentimiento, una sociedad en la que mis conocimientos críticos no poseen la menor importancia y nada pueden cambiar. La Universidad debe ser un centro crítico, el germen del cambio. Nuestra sociedad, sin embargo, es acrítica y rechaza el cambio. ¿Cuál puede ser mi destino? ¿Renunciar a mis ideas, admitir que son un sarampión juvenil y aceptar los hechos inconmovibles de una sociedad momificada convirtiéndome yo mismo en momia, sentado hasta mi muerte en un consejo de administración capitalista o en una oficina burocrática? ¿O convertirme en profesor para seguir enseñando, sin traicionarme, las ideas revolucionarias a una nueva generación que a su vez deberá renegar de ellas para encontrar una plaza remunerada en la jerarquía del orden? ¿Qué clase de educación es ésta, camarada? ¿Cómo podemos romper este círculo vicioso? El hecho es que estamos aprendiendo una teoría desinteresada para sacrificarla después ante una sociedad interesada. La teoría nos revela la insuficiencia e injusticia de la sociedad. Si somos fieles a nuestras ideas, debemos transformar la sociedad a imagen de ellas. De eso se trata, en el fondo, cuando hablamos de reforma universitaria.

—El profesor Raymond Aron les acusa de ser como los ludditas de principios del siglo XIX: incapaces de adaptarse a las exigencias de la sociedad tecnológica, le oponen un nihilismo destructivo, igual que los seguidores de Ludd destruían las primeras máquinas de la sociedad industrial.

LOS 68

—No vale la pena contestarle a Aron. Sartre ya lo ha hecho en nuestro nombre: Aron es un cadáver que repite sin fatiga las tesis de su primer libro; representa a un profesorado lleno de soberbia, miedo e incapacidad para evolucionar. Cómo contrasta la actitud de este «humanista» con la de un verdadero hombre de ciencia y de pensamiento, como Jean Rostand, que a los setenta y cinco años ha descendido de su pedestal, se ha acercado a nosotros y ha aceptado nuestras tesis: «¡Tanto el alumno como el profesor están en la Universidad para aprender!». La revolución ha servido para deslindar a los falsos maestros de los verdaderos enseñantes. Con nosotros están el físico Alfred Kastler, el sociólogo Edgar Morin, el filósofo Paul Ricoeur, el químico Laurent Schwarz... Para ellos, como para nosotros, la Universidad no es el lugar donde se oponen nuestra ignorancia y su saber, sino que ambos representamos dos formas paralelas de *querer saber*...

—¿Cuál es la actitud de ustedes ante el mundo tecnológico?

—No despreciamos la tecnología moderna, como insinúa Aron; todo lo contrario, queremos aprovecharla en favor de cada hombre, impedir que se convierta en una abstracción. Para nosotros, las conquistas de la ciencia y la técnica modernas deben servir al hombre y no a las estructuras que lo enajenan. Precisamente, lo que resentimos es la divergencia entre las formas avanzadas de la ciencia y las formas anticuadas de la vida moral, política y económica. No queremos una ciencia al servicio de una burocracia sin rostro y utilizada para

66

deformar a una población apática. Es una lucha difícil, larga y dura. Es una lucha revolucionaria, que apenas se inicia.

—Guardando las proporciones, este primer movimiento es a la Revolución francesa (y diría, europea) lo que el ataque al Moncada fue a la Revolución cubana…

—Es sólo el principio. La lucha continúa.

—Y esa lucha, iniciada para reformar a la Universidad, conduce a la transformación de la sociedad…

—Exactamente. La Universidad que deseamos no es concebible dentro de la actual sociedad. Ahora se forman profesionistas para servir a la burguesía. *Nosotros queremos formar profesionistas que sirvan a los trabajadores.* Para ello, será necesario que los propios trabajadores transformen revolucionariamente sus condiciones de trabajo.

—¿Puede la clase obrera hacerlo por sí sola?

—Eso plantea el problema del nuevo partido revolucionario. El actual movimiento ha destruido varios mitos. Se ha demostrado que la acción espontánea de una minoría consciente ha jugado el papel de detonante y vanguardia. Ese papel fue abandonado totalmente por las formaciones de la izquierda tradicional: la CGT, el PCF y la Federación de la Izquierda. Pero la acción de la vanguardia debe desembocar en la alianza con la clase obrera, o carecerá de sentido. En esto estamos de acuerdo.

—Sin embargo, me atrevo a decir que el movimiento también ha demostrado que la clase obrera no es en sí la portadora de la revolución. Y esto no es una heterodoxia: tanto Marx como Lenin negaron que la clase obrera fuese revolucionaria en sí; previeron siempre el papel educativo y activante del partido revolucionario en alianza con otros sectores progresistas de la sociedad.

—Pues en Francia toda la política de la izquierda tradicional ha consistido en impedir esa alianza. Hemos sido tratados, como era de esperarse, de izquierdistas infantiles, aventureros y anarquistas…

—Si no hubiese hablado con ustedes, me bastaría haber visto el Servicio de Orden que mantienen para pensar lo contrario.

—La izquierda tradicional se ha mostrado intolerante con nosotros pero muy tolerante con el gobierno. Han sucedido cosas increíbles. Basta señalar un hecho escandaloso: en Lyon, el Partido Comunista, a fin de demostrar su adhesión al orden público, entregó a varios estudiantes en manos de la policía. Y ya se sabe lo que la policía hace con los estudiantes… Pero ésa es sólo una anécdota. Lo terrible es que la izquierda tradicional ha dimitido: a la CGT sólo le interesaban las reivindicaciones economistas para no perder cara, a la Federación sólo le interesaba suceder al régimen en el poder, al PC sólo le interesaba impedir que la revolución se desarrollase a su izquierda o, *tout court*, que la revolución se desarrollase fuera de su dirección. Esto es lo extraordinario: al sentir la amplitud del movimiento revolucionario contra las actuales instituciones, las viejas formaciones de la izquierda se sintieron amenazadas porque, como dijo Sartre en la Sorbona, ellas también son instituciones

y hacen el juego formal de la burguesía. La izquierda tradicional ha dimitido y ahora lo ha pagado en unas elecciones que nada tienen que ver con los problemas reales que nosotros hemos planteado, junto con los obreros jóvenes, en las jornadas de mayo.

—Nos acercamos al corazón del problema: las relaciones del movimiento estudiantil con el movimiento obrero…

—La revolución se inició en la Universidad, espontáneamente. El movimiento fue condenado por el PC y la CGT. Espontáneamente, los obreros se unieron al movimiento y sólo entonces, con gran retraso, la CGT y el PC se subieron al carro revolucionario, pero con el propósito de desvirtuarlo y de impedir que la unión de estudiantes y obreros liberase toda la fuerza de la revolución. Hubo un momento en el que el país, paralizado por la huelga obrera, podía tomar dos caminos. Uno era el camino revolucionario. Otro, el camino ni siquiera reformista, el camino de la simple reivindicación de salarios mejores, semana de cuarenta horas, etc., pero siempre dentro del orden burgués, sin poner en duda el sistema. La CGT y el PC guiaron al movimiento obrero hacia estas demandas tradicionales. Al hacerlo, frustraron el éxito completo de la primera etapa de la revolución.

—¿Cuáles son para ustedes las razones de la conducta contrarrevolucionaria de los dirigentes sindicales y comunistas?

—Primero, se trata de directivas viejas, fatigadas, sin contacto con los obreros jóvenes. Para esas directivas sólo hay dos posibilidades en el mundo: el estalinismo o la sociedad de consumidores. Inserto en la actual sociedad francesa, avergonzado de su pasado estalinista, el PC ha tratado de «liberalizarse» (una expresión que nosotros rechazamos totalmente) adaptándose a las posibilidades de una «leal oposición» capaz de obtener pequeñas ventajas para la clase obrera: mendigar el diezmo del príncipe, *Pompidou nos sous*. Pero esas ventajas, dada la naturaleza del sistema, son recuperadas inmediatamente por el capitalismo, a través de la inflación, el alza de precios y la promoción publicitaria del consumo. Es lo que sucederá con las «ganancias» obtenidas durante la huelga por la CGT. El propio De Gaulle ha tenido el descaro de afirmar que esas «ganancias» se evaporarán en pocos meses. La crisis tendrá esa ventaja: demostrar a un número cada vez mayor de obreros que a través de la lucha «alimentaria» no hay salida posible. Es un círculo vicioso. Una economía de consumidores está más que dispuesta a absorber las exigencias «consumacionistas» de los trabajadores.

—¿Cuál es, entonces, la salida para la clase obrera en el mundo capitalista?

—Hacer la revolución. El PC siempre está en espera de que existan condiciones revolucionarias favorables. Ahora ya no tiene esa excusa. Hubo una situación revolucionaria en Francia y el PC la desaprovechó. Fidel Castro no la habría desaprovechado.

—¿Qué significa hacer la revolución en sociedades de este tipo?

—No significa, desde luego, la simple toma del poder.

Creerlo fue el gran error de la Federación de la Izquierda. Hay otro camino, más arduo pero más seguramente revolucionario. La huelga de mayo demostró que la acción obrera puede paralizar a una economía industrial avanzada y poner en crisis al gobierno. La huelga se hubiese transformado en revolución si, simultáneamente, los obreros, dirigidos por un partido realmente revolucionario, hubiesen iniciado la autogestión en las fábricas. Algunas pequeñas industrias, por ejemplo la de transistores, así lo hicieron. Pero esta posibilidad aterró a los dirigentes de izquierda. Para ellos, prisioneros del dogma, el socialismo significa la toma del poder y luego una larga etapa de centralismo autoritario.

—Es el modelo nacido de la experiencia soviética y china. ¿Les parece que en Francia es innecesario?

—En Rusia o en China, se trataba de acelerar la acumulación original de capital; se trataba de hacer en quince o veinte años lo que al mundo capitalista le había tomado varios siglos.

—Esa aceleración de la capitalización es lo que hasta ahora ha pasado por socialismo…

—Quizá ese proceso fue inevitable en países poco desarrollados. Seguramente, no lo es ni en Francia ni en Alemania ni en Italia. Aquí se puede pasar al socialismo de otra manera.

—¿Cuál?

—La toma de los centros de trabajo, no la toma del gobierno. Para los trabajadores europeos, el poder no está en el Palacio Presidencial o en el Parlamento. El poder está en las fábricas. *Tomar el poder es tomar el poder en las fábricas.*

—En ese caso, tomar el poder sería inmediatamente idéntico a la negación de las relaciones sociales y productivas del capitalismo. ¿Cuál sería el camino concreto hacia este nuevo tipo de toma del poder?

—Una fórmula muy clara: *huelga más autogestión*. Si algo nos ha enseñado el movimiento de mayo, es que las posibilidades revolucionarias se han multiplicado. Hay diversos grados de acción. Se puede, por ejemplo, hacer la huelga general continuando la producción, sin enemistar a la población y rehusando toda negociación con el Estado burgués o la clase patronal. Desde ahora, el sentido de la revolución consistirá en que la clase obrera expropie directamente los centros de trabajo, instale la autogestión y continué la producción, sin consultar a nadie. Se trata de vaciar de sustancia al Estado burgués y a la gerencia capitalista. Se trata de reivindicar la verdadera idea revolucionaria: todo el poder para los soviets. La revolución significa el paulatino desarrollo de la autogestión a través de poderes obreros autoorganizados en las fábricas, en las administraciones, en los servicios públicos, en las comunas, en las ciudades y en las regiones. A medida que la revolución progrese, sucederán varias cosas: primero, las nuevas relaciones de producción podrán ser definidas autónomamente, de abajo hacia arriba y en beneficio directo de los trabajadores; segundo, las nuevas organizaciones políticas serán la correspondencia exacta de la nueva organización económica, ambas nacerán de la misma base democrática; tercero, las sucesivas expropiaciones irán abriendo un campo cada vez más amplio al concur-

so directo de estudiantes y profesionistas revolucionarios, que dejarán de verse obligados a ingresar al mundo burgués; y cuarto, el proceso entero significará la desintegración y la parálisis progresiva del Estado capitalista, hasta hacerlo prescindible.

—¿Cuáles serían las características de un nuevo partido revolucionario capaz de acompañar ese movimiento?

—La redacción de *Les Temps Modernes* acaba de indicarlo en un magnífico editorial. En vez de basarse en militantes disciplinados que reciben órdenes de un aparato central, el partido revolucionario debe confiarse a los animadores locales capaces de juicios e iniciativas autónomas tomadas en función de las condiciones locales y capaces de suscitar discusiones en asambleas libres. El partido revolucionario, paralelo a la acción obrera (huelga más autogestión), debe proceder de la periferia al centro, a través de la autoorganización y autodeterminación de los ciudadanos y la definición por los mismos de las condiciones colectivas de existencia. Para la revista de Sartre, el aparato central del Partido se reduciría a coordinar aquellas actividades y a funciones precisas en los sectores de la información general y de la elaboración de perspectivas generales.

—En todo lo que llevan dicho, hay una gran insistencia en un hecho que parece negar tanto la práctica de las sociedades comunistas como la de las sociedades neocapitalistas: la descentralización.

—Es una condición de la verdadera democracia popular. «Democracia popular» significa que los hombres son capaces de gobernarse a sí mismos, o no significa nada. Cada ciudadano debe participar en el proceso de las decisiones, en vez de seguir las órdenes de la autoridad. Si la revolución económica es la autogestión obrera, la revolución política es la autoorganización de la base. El movimiento de mayo demostró que las organizaciones sólo entraron en acción a partir de acciones inventadas en la base.

—Sin embargo, la huelga general demostró otra cosa: que la economía actual está altamente integrada y tecnificada. Puede ser, por ello, fácilmente paralizada. Pero, por el mismo motivo, parece más difícil dirigirla sin planificación centralizada. ¿No hay una contradicción entre la integración tecnológica centralizada y la autogestión descentralizada, política y económica?

—Hay un elemento que supera esa contradicción: la comunicación. El desarrollo actual de los medios de comunicación permite la coordinación de la planificación socialista con la autogestión descentralizada. Lo que pasa es que los *mass media* han sido desvirtuados, desviados de su función creadora y sometidos a la frivolidad de la sociedad de consumidores. Utilizadas revolucionariamente, las comunicaciones facilitarían las formas de vida autónomas y descentralizadas al tiempo que asegurarían una planificación sin sacrificio de la autogestión.

—Aunque, naturalmente, carecemos aún de perspectiva, ¿qué crítica harían ustedes de sí mismos a la luz de los acontecimientos de mayo y junio?

—La revolución nació de causas muy profundas, pero fue una explosión de espontaneidad. En cierto sentido, ésta fue su virtud, pero también su defecto. Los acontecimientos se sucedieron con demasiada rapidez. Los hechos han desbordado la teoría. Desde un principio, hemos tratado de remediar este nivel entre nuestra acción y nuestro pensamiento. En medio de las barricadas y los debates públicos, hemos trabajado intensamente. Ahora, en medio de la farsa electoral y la represión, lo seguiremos haciendo. Sólo en la región parisina funcionan ya ciento cincuenta comités de diálogo entre obreros y estudiantes y más de quinientos comités de acción revolucionaria. Los problemas que hemos planteado no son gratuitos y no desaparecerán por sí mismos o a golpe de retórica. La revolución ha planteado la existencia de los verdaderos problemas y, en el mismo acto, ha revelado la falsedad de los problemas debatidos al nivel de la política tradicional. Oponemos un lenguaje nuevo, radical, al lenguaje momificado del poder, del Parlamento, de las elecciones y de las formaciones políticas tradicionales. Tanto el poder como la oposición han demostrado su anacronismo y su ineficacia en esta situación. El proceso electoral es asunto de ellos; no nos afecta ni afecta a la revolución, que prosigue su marcha por caminos inéditos, difíciles y definitivamente ajenos a las formalidades burguesas.

—Hablamos un día después del primer turno electoral. El grito de los estudiantes y de los obreros jóvenes ha sido: «Elección: traición». ¿Qué significa para ustedes el triunfo gobiernista en las elecciones?

—El triunfo del chantaje y del miedo. Estas elecciones podían titularse como la novela de Bernanos: *El gran miedo de los bien pensantes*. De Gaulle lleva diez años diciendo que gracias a él Francia se había convertido en un país estable y sin problemas sobresalientes. La revolución demostró lo contrario. El gobierno estuvo a punto de caer. Pero esto es secundario para nosotros. Se trata de hacer la revolución, no de sustituir gobiernos. Somos revolucionarios, no golpistas. En cambio, al régimen sólo le interesa permanecer en el poder. Para hacerlo, ha sacrificado su aspecto más positivo: la política internacional. Desde el primer día de las barricadas, De Gaulle le dijo en público al embajador norteamericano, Shriver: «En los momentos de crisis, Francia y los Estados Unidos se encuentran siempre en el campo de la libertad». Johnson ha apoyado totalmente a De Gaulle: a los Estados Unidos les interesa una Francia capitalista y estable; lo demás es secundario. De Gaulle ha liberado a sus más oscuros enemigos; los generales insurrectos de Argelia, Poujade, Tixier-Vignancourt, el Movimiento Occident, toda la extrema derecha, que antes se oponían amargamente al régimen, ahora le han dado sus votos a fin de salvar a Francia del «comunismo totalitario» y de defender, como expresamente lo dijo Pompidou, «vuestra seguridad y vuestra propiedad». De Gaulle ha apelado al miedo de una burguesía y una clase media muy extensas, muy fuertes y muy conservadoras: el centro se ha desplazado hacia la derecha, y del viejo movimiento liberal kennedista de Lecanuet no quedan sino ruinas; el centro ha sido incapaz de reunir los treinta escaños necesarios para

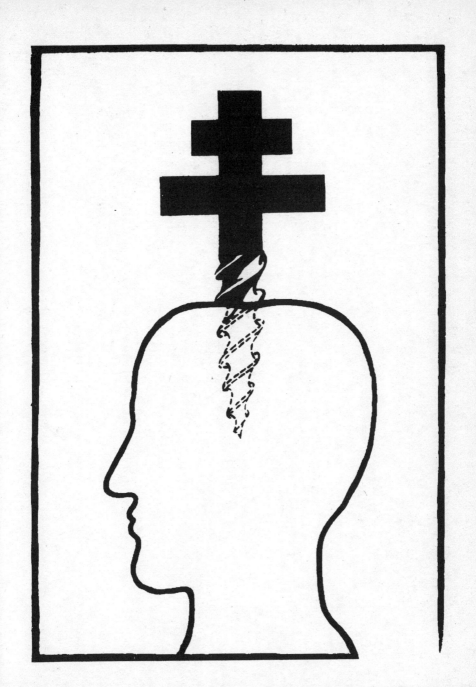

integrar un grupo en el Parlamento. Además, el Partido Comunista y la Federación de la Izquierda han salido muy desprestigiados de la revolución: han espantado a los burgueses y han enajenado a los revolucionarios.

—Además, los electores jóvenes fueron excluidos del proceso gracias a una triquiñuela del Ministerio del Interior...

—Entre las últimas elecciones y ésta, medio millón de jóvenes han llegado a la edad de votar. Pero el Ministerio decidió que, dada la premura con que se convocó a elecciones, no tenía tiempo de regularizar nuestra situación...

—No deja de ser irónico que quienes, en último análisis, provocaron las elecciones no hayan podido participar en ellas.

—¿Qué importa? Yo ya voté en las barricadas por el socialismo revolucionario. Mi boleta fue un adoquín. Lo importante es que los problemas siguen en pie. No serán resueltos por una elección sin caras nuevas, hecha a base de viejos «notables», dentro de un sistema de mayoría simple, sin representación proporcional y a partir de una campaña sin programas, en la que sólo votó el miedo.

—Batista ganó las elecciones en Cuba cuando Fidel Castro ya estaba en la Sierra Maestra. El zar eligió su Duma inmediatamente después de la revolución de 1905. Escoger entre Humphrey y Nixon no significa nada para los problemas reales de los Estados Unidos. Y el aparato del PRI en México gana regularmente todas las elecciones sin que, realmente, *pase nada*, salvo la postergación de problemas que nadie discute, nadie atiende y que se acumulan peligrosamente. Porfirio Díaz celebró su Olimpiada apoteósica en septiembre de 1910; en noviembre, estalló la revolución. Las elecciones y la revolución, decididamente, son dos cosas bien distintas.

—Las elecciones representan una supervivencia de lo viejo y no una expresión de lo nuevo. Mientras tanto, el régimen, ensoberbecido por su triunfo, puede pensar que los problemas planteados por los estudiantes y los obreros son falsos. En todo caso, el régimen actual carece de los medios y la voluntad para resolverlos. Aplazados, esos problemas sólo regresarán con más fuerza que antes. Por lo pronto, el sistema capitalista francés ha sufrido una grave ruptura de equilibrio. Para recobrarlo, deberá arrebatarle a la clase obrera las «ganancias» que acaba de darle bajo presión. A su vez, esto radicalizará la lucha de clases en un país en el que muchísimos jóvenes, estudiantes, obreros, intelectuales, han empezado a politizarse por primera vez. Por todo ello, nosotros continuamos nuestras tareas de organización, difusión de ideas y lucha revolucionaria.

Ce n'est qu'un début. La lutte continue

Mientras regreso a París, recuerdo una página de *L'Enracinement* en la que Simone Weil identifica el concepto de la educación con una proposición de motivos para la acción. Esa proposición puede ser hecha a través del miedo y de la esperanza determinados por amenazas y promesas; de la sugestión; de la expresión de pensamientos que antes de ser expresados ya estaban en el corazón de la gente; del ejemplo; y de los modos mismos de la acción y de las organizaciones creadas para la acción. Pienso que en la Francia actual todas esas categorías están vigentes. El extremo del miedo y la amenaza lo representa el gobierno; el de la esperanza, los estudiantes; el de la acción y la nueva organización, la alianza germinal de obreros y estudiantes.

Pero la sugestión y la expresión las encarna, esta noche, Jean-Paul Sartre. Presidimos, junto con Sartre, Nathalie Sarraute y un grupo de artistas, escritores y editores hispanoamericanos, un vasto encuentro con cinco o seis mil estudiantes en la Cité Universitaire. Se trata de apoyar la ocupación por sus estudiantes de los pabellones de ciertos regímenes opresivos: España, Portugal, Argentina, Grecia… Y se trata de animar una Universidad de verano que, renunciando a las vacaciones, prosiga durante estos meses su tarea de debate y organización.

Sartre invita a los estudiantes al diálogo y a la *contestation*: no está allí para dictar una cátedra, sino para educar sugiriendo y escuchando sugerencias. Se quita el saco. Se pasa continuamente la mano por la cabeza. Como siempre, la impresión de fragilidad física es vencida por la energía y velocidad del discurso; un discurso, lo confieso, que no sólo impresiona, sino que asusta: tal es la integración entre la forma de hablar y la forma de escribir. Sartre habla como escribe y escribe como habla. Hace un calor infernal y no hay un solo lugar libre; la multitud de estudiantes desborda el auditorio, comenta, interpela, ríe, aprueba, descalifica.

Un estudiante interroga a Sartre sobre el sentido de la *contestation* y de la «Universidad Crítica» como centro de la misma.

Sartre: ¿Qué es la cultura? Algo que al ofrecerse se cuestiona. ¿Qué es el saber? En todos los casos, algo más de lo que creíamos saber. Pero apenas creemos haber adquirido el nuevo saber, un nuevo hecho cultural lo pone en cuestión. La Universidad está hecha para formar a hombres que cuestionan. La única manera de aprender es cuestionando. Es, también, la única manera de hacerse hombre. Un hombre no es nada si no es un cuestionante. Pero también debe ser fiel a ciertas cosas. Para mí, un intelectual es eso, alguien que es fiel a un conjunto de ideas políticas y sociales pero que no deja de cuestionarlas. Las eventuales contradicciones entre esa fidelidad y esa *contestation* serán, en todo caso, contradicciones fructíferas. Pero la fidelidad sin *contestation*, *ça ne va pas*: se pierde la libertad.

Otro estudiante contesta: En el régimen capitalista, no se puede hablar de «Universidad Crítica», sólo de crítica de la Universidad. La «Universidad Crítica» sólo puede existir en un régimen socialista.

Sartre sonríe: E incluso eso está por verse.

Otro estudiante teme que el movimiento de mayo no haya logrado más objetivo que fortalecer al Estado burgués, endurecerlo y empujarlo hacia el fascismo.

Sartre: Quienes hoy agitan la «amenaza fascista» sólo lo hacen para desmovilizar a la gente. El fascismo no se improvisa con tres regimientos de paracaidistas. Se necesita una sociedad como la griega, donde los trabajadores están aislados y divi-

didos y donde una derecha armada prepara desde hace años el golpe de Estado. O se necesita una sociedad trabajada durante mucho tiempo por un partido fascista, como lo fueron la Alemania de Hitler o la Italia de Mussolini. Pero en un país como Francia no se organiza de un día para otro un golpe fascista. O si se organiza, dura quince días. Lo repito: hablar en Francia de «amenaza fascista» es un expediente terrorista para que la gente acepte al actual régimen.

Un estudiante toma el micrófono y le pregunta al camarada Sartre si en realidad la clase estudiantil francesa, emanada de la burguesía, puede jugar un papel revolucionario.

Sartre: Gracias por lo de camarada. Detrás de esa pregunta hay una afirmación: sólo los obreros pueden hacer la revolución. No conozco a un solo estudiante revolucionario que haya dicho lo contrario. Todos lo repiten: los estudiantes somos los detonadores, pero la revolución será hecha por el conjunto de las clases trabajadoras. Sin embargo, para que los estudiantes jueguen ese papel, debe haber una convergencia entre sus reivindicaciones y las de los trabajadores. Los comunistas niegan que exista esa convergencia. El origen burgués de la mayoría de los estudiantes los condenaría, en efecto, a ser burgueses hasta la muerte. Ésta es la teoría mecanicista de Taine, pero nada tiene que ver con el marxismo. Marx explicó que los intelectuales surgidos de la burguesía podían convertirse en aliados de la clase obrera, porque sus problemas culturales también eran problemas de enajenación. Esto era cierto en la época de Marx y es más cierto aún hoy, cuando los estudiantes descubren que son *objetos* de una sociedad que les roba su trabajo como se lo roba a los obreros. El origen de clase puede ser distinto, pero la situación es parangonable.

Un estudiante comunista, en medio de la alharaca y la rechifla de la mayoría, disputa a Sartre afirmando que sólo el Partido Comunista puede hacer la revolución y lo desafía a dar un ejemplo que niegue ese aserto.

Sartre mira con cierta ironía al interlocutor: Fidel Castro y el Movimiento 26 de Julio.

Alguien lanza un grito: ¿Qué hizo el Partido Comunista cubano a favor de la revolución de la Sierra Maestra?

Sartre contesta en español: *Nada*. Lo admirable en el caso de Castro es que la teoría nació de la experiencia, en vez de precederla. Lo mismo está pasando en Francia. Las actitudes del Partido Comunista francés se explican por el miedo de que esté naciendo un movimiento revolucionario a su izquierda, y que ese movimiento, negando el dogma, suponga una multiplicación de acciones y gestiones en la base, precediendo a la organización y ofreciendo una poderosa imagen de la libertad socialista.

EL INFINITO NO TIENE ACENTO

En la esquina del Café Dupont, frente a la Gare de Montparnasse, se ha reunido un grupo de unas treinta personas. No es único: a lo largo de estas cálidas noches de junio, en esquina tras esquina, los activistas de los comités de acción revolucionaria provocan estos debates espontáneos. Una muchachita hermosa y frágil, miembro del comité, lo inicia leyendo, por ejemplo, una declaración del gobierno o el editorial de un periódico. El público no tarda en unirse a la discusión. Esta noche acaba de darse lectura a la carta que un centenar de intelectuales comunistas dirigen a la jerarquía del partido, reprochándole su actitud.

—Antes —dice fogosamente un estudiante— creíamos que sin el Partido Comunista la revolución no era posible; ahora sabemos que la revolución no es posible con el Partido Comunista...

—*C'est dégoûtant* —interviene un hombre de edad media—. Soy ingeniero en una empresa bastante fuerte, me consta que desde el 25 de mayo la CGT se acercó al Patronato francés para asegurarle que todo iría por el camino acostumbrado de la mejoría de condiciones de trabajo, sin autogestión, sin revolución...

—Un momento, un momento —disuade con serenidad inalterable un viejo rubicundo, con un mapa de Beaujolais en la cara—. Yo soy trabajador de la Renault. Cuando Séguy (el secretario de la CGT) se presentó en Billaincourt a proponernos los acuerdos logrados con Pompidou, todos gritamos: «¡No!». Todos, en la base, estábamos dispuestos en ese momento a ir hasta el fin, ver si era posible el paso pacífico al socialismo. Pero entonces vino el discurso de De Gaulle, el discurso fuerte, y lo que se planteaba era la guerra civil. El gobierno se apoyó en el ejército y en los comités de defensa de la República… había tanques cerca de la Renault… Ni los dirigentes ni los obreros estábamos dispuestos para eso. Nos contentamos con lo que pudimos lograr por el momento, racionalmente. Al día siguiente, volvió a distribuirse la gasolina y todo el mundo se fue de vacaciones de Pentecostés. Francia es un país con una clase media demasiado fuerte. La clase obrera —se los dice un militante con cuarenta años de lucha detrás de él— sólo podrá ir ganando ventajas paulatinas. La violencia sólo espanta a la clase media y a los obreros, que con gran esfuerzo han conquistado cierto bienestar.

—¿Cuál violencia? —pregunta otro estudiante—. Sólo hubo dos muertos en la revolución. En el primer fin de semana después de la huelga, murieron ciento setenta personas en accidentes de carretera. Es como *Weekend* de Godard. La verdadera violencia, física y moral, la ejerce contra todos nosotros una sociedad verdaderamente anónima, que jamás nos ha consultado y que nos impone violentamente sus falsos valores.

—*Vous êtes tous la pègre!* —le grita al estudiante una señora gruesa y malencarada, ama de casa o conserje—. Andan agitando sin saber por qué y lo único que van a lograr es una dictadura como en Rusia. Déjenme en paz. No quiero saber nada de esto, yo no soy política, pero el día de la manifestación en los Campos Elíseos fui a apoyar al general De Gaulle, a defender nuestra tranquilidad…

—Sí, señora —contesta el estudiante—, y con usted fueron la juventud dorada del XVI Arrondissement, las putas y los

macrós de los Campos Elíseos y todos los vejestorios que suspiran por el régimen de Vichy y que durante la ocupación también defendieron su tranquilidad colaborando con los nazis. ¡Son muchos, eh, son muchos, de acuerdo! Pero eso no les da la razón, como no la tuvieron la manada de colaboracionistas contra los pequeños grupos de resistencia. Mire dónde ha terminado la Cruz de Lorena: en manos de sus primeros enemigos.

—Por favor —habla un hombre joven, pálido, de nariz puntiaguda, que se identifica como trabajador de la petroquímica—. Veamos las cosas claramente. Se cometieron muchos errores. La CGT y el PC desconfiaron de los estudiantes burgueses, de sus lemas anarquistas, de sus filiaciones trotskistas y maoístas, ¿qué esperan?, ¿que una dirección de origen estalinista aceptara con los brazos abiertos a sus enemigos?, ¿que un partido que se siente dueño de la verdad marxista se dejase arrastrar por acciones y palabras que negaban el monopolio comunista de la verdad y la acción revolucionarias? Es lamentable que el PC y la CGT no hayan establecido un diálogo auténtico con los estudiantes, de acuerdo. Muchos malentendidos se hubiesen disipado. Pero los estudiantes, en vez de buscar ese diálogo, se limitaron a injuriar a los dirigentes comunistas, a llamarlos «crápula estalinista». Hubo errores de ambas partes. Y Mollet y Mitterrand, cuando creyeron ilusoriamente que el gobierno se caía, rompieron su alianza con los comunistas, se desligaron puritanamente de cualquier identificación con los estudiantes y se proclamaron prontos a asumir una sucesión que nadie les ofrecía y que nada les garantizaba. La solución hubiese sido otra. Si después del discurso «fuerte» de De Gaulle todos, estudiantes, obreros, CGT, PC y partidos de la izquierda no comunista, se unen y marchan juntos y juntos ofrecen un plan de acción razonado, hubiese habido una opción real en Francia. La división de la izquierda creó la ilusión de que sólo el poder podía actuar coherentemente. La izquierda, desunida, no fue capaz de responderle masivamente al poder. Estoy de acuerdo en que los problemas revelados por los estudiantes y los obreros son reales. Pero para vencer al poder burgués, hay que oponerle la acción revolucionaria total, de todas las fuerzas unidas. El PC y la CGT no son sólo sus viejos y caducos dirigentes. Somos cientos de miles de obreros y militantes los que prestamos nuestra adhesión a esas organizaciones. Somos cientos de miles de trabajadores, estudiantes, técnicos e intelectuales que hoy nos sentimos frustrados pero que ya empezamos a luchar por una renovación de nuestras agrupaciones. Hay una profunda inquietud en el seno de la CGT y el PC. La crítica que acaba de leernos la compañera es sólo un indicio de esa conmoción interna. Espero que la Unión Nacional de Estudiantes, el Sindicato Nacional de la Enseñanza Superior, el Movimiento 22 de Marzo y los demás grupos estudiantiles también revisen críticamente su táctica. Trabajemos por esa renovación, en vez de limitarnos a la jeremiada... Les habla un comunista sincero, insatisfecho y consciente de lo que ha ocurrido. Como yo hay cientos de miles.

Me alejo del grupo… Del Cinéma Bretagne salen los espectadores de la última función de *Histoires Extraordinaires*, el nuevo filmómnibus de Vadim, Malle y Fellini… Un joven con una larga melena rasguea una guitarra e improvisa una especie de poema increpación:

—¡Eh! ¿Se han visto en un espejo? ¿Por qué esa tristeza? ¡Eh! ¿Qué ha pasado con nuestra felicidad? *Le chien lit c'est lui!* ¡Eh, eh! ¿Por qué se dejan tratar como carneros? ¿Ya olvidaron los días de nuestra primavera? ¡Padres habladores, hijos activos! ¡No sueñen con ojos ajenos!

IL EST INTERDIT D'INTERDIRE

Algunas monedas caen a los pies del muchacho. Camino hojeando *Le Monde*. Leo una declaración del vicario episcopal de París, Chalendar: «Una grandeza de mayo del 68 es que muchos hombres supieron decir palabras, tomar actitudes y cumplir actos que manifiestan el valor del hombre». Me detengo al lado de la vieja estación demolida. Algunas ratas corren entre las ruinas. Durante la huelga, la visión de Camus se materializó en las montañas de basura abandonada. ¿Qué dijo Saint-Just de la revolución…? «La lucha entre el demonio de la esperanza y el demonio de lo irremediable.»

No… Encuentro a un grupo de amigos españoles. Subo a su auto. Nos dirigimos a la plaza de la Bastilla. Mis amigos me muestran recortes de la prensa española: aclaman con delirio la nueva filosofía anticomunista y corporativista del general De Gaulle; la Falange, dicen, tiene un nuevo miembro de elección. Llegamos a la Bastilla. De allí están saliendo, uno tras otro, los camiones cargados de trabajadores portugueses y españoles, de regreso a sus países. Hablamos con algunos de ellos.

—Yo no viví la guerra de España. Pero mis padres me contaron lo que fue. No quiero vivirla en Francia. Todos los compañeros dicen: esto empieza de vuelta en octubre.

—¿Qué diferencia hay ahora entre De Gaulle, Salazar o Franco? Da igual trabajar en París que en Burgos o en Oporto.

—Estamos hartos de vivir discriminados, aislados, como en campos de concentración.

—Hemos hecho la huelga en Francia. Hemos visto que la acción directa puede paralizar a un país y tambalear al gobierno. Algunos sentimos vergüenza pero también exaltación. ¿Por qué en vez de luchar en Francia no luchamos en España?

—Viejo, catalán y jodido. Pero no podía ver lo que creía. Las banderas rojas y negras volvieron a ondear. La *Internacional* en todas las gargantas. Es como si la batalla que perdimos en el 39 no se hubiera perdido, como si continuara aquí. Coño y recoño. Nada ha sido en vano, joder.

Arranca el autobús en medio de los gritos y carcajadas de ese viejo obrero de Cataluña al que, seguramente, no volveré a ver. Pero es él quien me obliga a pensar en todos aquellos a los que deseo volver a ver, los estudiantes italianos, checos, ingleses, alemanes, que no encuentran un mundo a la medida de sus aspiraciones, que desean cambiar la sociedad y la vida con un

impulso lleno de generosidad y valentía. Pienso en mí mismo, en mis amigos españoles y latinoamericanos, en todos los que desde un principio comprendimos que ésta no era una revolución privativa de Francia, sino un movimiento nuestro, sin nacionalidad y sin fronteras.

Decididamente adverso a la xenofobia y al chovinismo, el movimiento revolucionario francés no podía sino conquistar la adhesión de los artistas, escritores y estudiantes latinoamericanos y españoles que en Francia aseguramos el encuentro y la perspectiva que en nuestros propios países nos son vedados. Aquél, por la división, la incomunicación y el engaño sistemáticamente fomentados por nuestras oligarquías títeres de los Estados Unidos. Ésta, por el sofoco no menos sistemático de cada una de nuestras naciones, encerradas bajo una campana neumática y empeñosamente dedicadas al cultivo de falsas celebraciones, falsos problemas, falsas metas.

En París, en las barricadas, en las manifestaciones, en el diálogo maravilloso que ha sido el triunfo mayor de la revolución, nos hemos encontrado y nos hemos reconocido: chilenos y españoles, argentinos y mexicanos, brasileños y peruanos, portugueses y centroamericanos... Hemos discutido el destino probable, los imposibles sueños y las pesadas condenas de nuestros países: en el espejo de los sucesos franceses, era posible discernir la imagen mutilada de la comunidad de habla española y portuguesa, sus carencias y sus aspiraciones.

Porque algo más que la mentira de la felicidad en la

abundancia industrial murió en las barricadas de París. Murió también la imagen de la *affluent society* que nos ofrecen, ya no los anacrónicos regímenes castrenses y feudales de América Latina, sino las avanzadas «liberales» de la Alianza para el Progreso y los gobiernos burgueses de México, Perú, Chile, Venezuela y Uruguay.

En París hemos visto desnudo al emperador.

En París hemos visto en calzoncillos a los periodistas mentirosos del Brasil, a los militares argentinos, a los industriales chilenos a sueldo de los monopolios del cobre, a los imbéciles que pergeñan los programas de televisión en Perú, a la policía represiva de Guatemala, a los líderes sindicales corruptos de México, a los burócratas blandengues del Uruguay.

En las barricadas hemos visto a los jóvenes universitarios de Arequipa, Rosario, Pueblo y Recife, prefigurados en la lucha final contra una sociedad que niega las aspiraciones de todos los jóvenes, en todas partes.

En las fábricas hemos visto en huelga a los obreros de la Anaconda Copper, de la United Fruit, de la Mexican Gulf Sulphur, de la Esso colombiana.

«Por primera vez, somos contemporáneos de todos los hombres», escribió un día Octavio Paz. Secularmente enajenados y ex-céntricos por y ante la imagen universal del Hombre blanco, burgués, cristiano, capitalista y racional, hoy nos identificamos con los hombres que, desde el antiguo centro, se proclaman tan ex-céntricos y enajenados como nosotros y en nosotros se reconocen. Dios murió, y con él su privilegiada

Criatura occidental. El Hombre ha muerto, pero los hombres están bien vivos. La excentricidad radical —la revolución— es hoy la única universalidad concebible. Y, excéntricamente, recuerdo unas palabras de André Malraux, el único miembro del gobierno francés que supo admitir toda la profundidad del movimiento revolucionario de mayo y junio: «El ensayo general de este drama suspendido anuncia la gran crisis de la civilización occidental. El encuentro de la juventud con el proletariado es un fenómeno sin precedente».

Esa crisis y ese encuentro representan uno de los grandes virajes de la historia contemporánea. La revolución, que sólo ayer parecía privilegio del Tercer Mundo, ha hecho su aparición en el Mundo Industrial neocapitalista o neosocialista. Si en Europa y los Estados Unidos la protagonizan los hijos insatisfechos de la burguesía, en Polonia, en Checoslovaquia, en Yugoslavia los actores son jóvenes estudiantes de origen campesino y obrero. Los hijos de Marx y de Rimbaud son también los nietos de Rousseau: tengo la impresión de que estos jóvenes, en Oriente y en Occidente, encarnan un renacimiento poderoso y profundo de la idea de *soberanía*. Pero esta vez la *voluntad general* no se limita a los fenómenos formales de la política, sino que se extiende a una crítica detallada y a una aspiración de libertad en la vida económica. Más que una crítica de la *propiedad* (pública en el neosocialismo, remotamente ejercida a través de *managers* en el neocapitalismo), se trata de una crítica de la *gestión*, igualmente abstracta, igualmente lejana de los interesados en ambos sistemas. La revolución contra la burguesía y la revolución dentro de la revolución convergen en la afirmación de la *autogestión* del trabajo y de la producción por los hombres directamente interesados.

De esta manera, la nueva revolución es por fuerza internacional. Horizontalmente en el mundo industrializado: la marea del cambio culminará en dos ciudadelas, Washington y Moscú. Verticalmente, en el mundo no-industrializado: esta rebelión culmina en Washington y allí entronca con la primera.

Nosotros, los latinoamericanos, ligados a Francia por tantos motivos del corazón y de la cabeza, debemos felicitarnos de que hayan sido los estudiantes, intelectuales y obreros franceses los primeros actores de esta gran transformación. A través de Francia, podemos comprender y ser comprendidos.

Esta revolución también es la nuestra.

Es sólo el comienzo. La lucha continúa.

París, mayo-junio de 1968

MILAN KUNDERA: EL IDILIO SECRETO

En diciembre de 1968, tres latinoamericanos friolentos descendimos de un tren en la eternidad de Praga. Entre París y Múnich, Cortázar, García Márquez y yo habíamos hablado mucho de literatura policial y consumido cantidades heroicas de cerveza y salchicha. Al acercarnos a Praga, un silencio espectral nos invitó a compartirlo.

No hay ciudad más hermosa en Europa. Entre el alto gótico y el siglo barroco, su opulencia y su tristeza se consumaron en las bodas de la piedra y el río. Como el personaje de Proust, Praga se ganó el rostro que se merece. Es difícil volver a Praga; es imposible olvidarla. Es cierto: la habitan demasiados fantasmas.

Sus ventanas espantan; es la capital de las defenestraciones. Se mira hacia ellas y siguen cayendo, matándose sobre las losas pulidas y húmedas de la Malá Strana y el Palacio Cerni, los reformadores husitas y los agitadores bohemios; también, nacionalistas del siglo XX y comunistas que no encontraron su siglo. No fue el nuestro el que correspondió a Dubcek, aunque sí a los dos Masaryk. Entre el Golem y Gregorio Samsa, entre el gigante y el escarabajo, el destino de Praga se tiende como el puente de Carlos sobre el Vltava: cargado de fatalidades escultóricas, de comendadores barrocos que acaso esperan la hora del encantamiento interrumpido para girar, hablar, maldecir, recordar, escapar al «maleficio de Praga». Aquí estrenó Mozart su *Don Giovanni*, el oratorio de la maldición sagrada y la burla profana trascendidas por la gracia; de aquí huyeron Rilke y Werfel; aquí permaneció Kafka. Aquí nos esperaba Milan Kundera.

SI LA HISTORIA TIENE UN SENTIDO...

Yo había conocido a Milan en la primavera de ese mismo año, una primavera que llegaría a tener un solo nombre, el de su ciudad. Fue a París para la publicación de *La broma* y lo agasajaron Claude Gallimard y Aragon, que escribió el prólogo para la edición francesa de esa novela que «explica lo inexplicable». Añadía el poeta francés: «Hay que leer esta novela. Hay que creer en ella».

Me fue presentado por Ugné Karvelis, quien desde principios de los sesenta decía que los dos polos más urgentes de la narrativa contemporánea se encontraban en América Latina y en Europa central. No, Europa oriental no; Kundera brincó cuando empleé esa expresión. ¿No había yo visto un mapa del continente? Praga está en el centro, no en el este de Europa; el oriente europeo es Rusia, Bizancio en Moscovia, el cesaropapismo, zarismo y ortodoxia.

Bohemia y Moravia son el centro en más de un sentido: tierras de las primeras revueltas modernas contra la jerarquía opresiva, tierras de elección de la herejía en su sentido primero: elegir libremente, tomar para sí; foros críticos, apresurados tránsitos a lo largo de las etapas dialécticas: barones vencidos por príncipes, príncipes por mercaderes, mercaderes por comisarios, comisarios por ciudadanos herederos de la triple herencia consumada de la modernidad: la rebelión intelectual, la rebelión industrial y la rebelión nacional.

Ese triple don había otorgado un contenido al golpe comunista de 1948: Checoslovaquia estaba madura para pasar del reino de la necesidad al reino de la libertad. Los comisarios del Kremlin y los sátrapas locales, con toda su ciencia, no se dieron cuenta de que en las tierras checas y eslovacas la democracia social podía surgir de la sociedad civil y jamás de la tiranía burocrática. Por ignorarlo, por servilismo ante el modelo soviético distanciado ya por Gramsci, que habló de la ausencia de sociedad autónoma en Rusia, Checoslovaquia se vio atada con las correas del terror estalinista, las delaciones, los juicios contra los camaradas calumniados, las ejecuciones de los comunistas de mañana por los comunistas de ayer.

Si la historia tiene un sentido, Dubcek y sus compañeros comunistas no hicieron sino otorgárselo: a partir de enero de 1968, desde adentro de la maquinaria política y burocrática del comunismo checo, estos hombres dieron el paso de más que, irónicamente, al cumplir las promesas sustantivas de la ortodoxia marxista, hacía inútiles sus construcciones formales. Si era cierto (y lo era, y lo es) que el socialismo checo fue el producto, no del subdesarrollo hambriento de capitalización acelerada a cambio de estulticia política, sino de un desarrollo industrial capitalista política y económicamente pleno, entonces también era cierto (y lo es, y lo será) que el siguiente paso era permitir la paulatina desaparición del Estado a medida que los grupos sociales asumían sus funciones autónomas. La sociedad socialista empezó a ocupar los espacios de la burocracia comunista. La planificación central cedió iniciativas a los consejos obreros, el politburó de Praga a las organizaciones políticas locales. Se tomó una decisión fundamental: dentro de todos los niveles del partido, la democracia se expresaría a través de sufragio secreto.

Seguramente fue esta disposición democrática la que más irritó a la Unión Soviética. Nada le fue reclamado por los gobernantes rusos con mayor acrimonia a Dubcek. Para consumar el paso democrático, los comunistas checos adelantaron su Congreso. El país estaba políticamente unido por un hecho extraordinario: la aparición de una prensa representativa de los grupos sociales. Prensa de los trabajadores agrícolas, de los obreros industriales, de los estudiantes, de los investigadores científicos, de los intelectuales y artistas, de los pequeños comerciantes, de los mismos periodistas, de todos y cada uno de los componentes activos de la sociedad checa. En la democracia socialista de Dubcek y sus compañeros, las iniciativas de Estado nacional eran comentadas, complementadas, criticadas y limitadas por la información de los grupos sociales; a su vez, éstos tomaban iniciativas que eran objeto de comentarios y críticas por parte de la prensa oficial. Esta misma multiplicación de poderes y pareceres dentro del comunismo habían de ser trasladadas al Parlamento; primero, era necesario establecer la democracia en el partido. Y esto es lo que la URSS no estaba dispuesta a aceptar.

LOS IDUS DE AGOSTO

Kundera nos dio cita en un baño sauna a orillas del río para contarnos lo que había pasado en Praga. Parece que era uno de los pocos lugares sin orejas en los muros. Cortázar prefirió quedarse en la posada universitaria donde fuimos alojados; había encontrado una ducha a su medida, diseñada sin duda por sus tocayo Verne y digna de adornar los aposentos submarinos del capitán Nemo: una cabina de vidrio herméticamente sellable, dotada de más grifos que el *Nautilus* y de regaderas oblicuas y verticales a la altura de cabeza, hombros, cintura y rodillas. Semejante paraíso de la hidroterapia se saturaba peligrosamente a una cierta altura: la de los hombres de estatura regular como García Márquez y yo. Sólo Cortázar, con sus dos metros y pico, podía gozarse sin ahogarse.

En cambio, en la sauna donde nos esperaba Kundera no había ducha. A la media hora de sudar, pedimos un baño de agua fría. Fuimos conducidos a una puerta. La puerta se abría sobre el río congelado. Un boquete abierto en el hielo nos

115

invitaba a calmar nuestra incomodidad y reactivar nuestra circulación. Milan Kundera nos empujó suavemente hacia lo irremediable. Morados como ciertas orquídeas, un barranquillero y un veracruzano nos hundimos en esas aguas enemigas de nuestra esencia tropical.

Milan Kundera reía a carcajadas, un gigantón eslavo con una de esas caras que sólo se dan más allá del río Oder, los pómulos altos y duros, la nariz respingada, el pelo corto abandonando la rubia juventud para entrar a los territorios canos de la cuarentena, mezcla de pugilista y asceta, entre Max Schmelling y el papa polaco Juan Pablo II, marco físico de leñador, escalador de montañas; manos de lo que es, escritor, manos de lo que fue su padre, pianista. Ojos como todos los eslavos: grises, fluidos, al instante sombríos, ese tránsito fulgurante de un sentimiento a otro que es el signo del alma eslava, cruce de pasiones. Lo vi riéndose; lo imaginé como una figura legendaria, un cazador antiguo de los montes Tatra, cargado de pieles que le arrancó a los osos para parecerse más a ellos.

Humor y tristeza: Kundera, Praga. Rabia y llanto, ¿cómo no? Los rusos eran queridos en Praga; eran los libertadores de 1945, los vencedores del satanismo hitleriano. ¿Cómo entender que ahora entrasen con sus tanques a Praga, a aplastar a los comunistas en nombre del comunismo, cuando deberían estar celebrando el triunfo del comunismo checo en nombre del internacionalismo socialista? ¿Cómo entenderlo? Rabia: una muchacha le ofrece un ramo de flores a un soldado soviético encaramado en su tanque; el soldado se acerca a la mucha-

PRAGUE 68

L'INTERVENTION SOVIÉTIQUE EN TCHECOSLOVAQUIE
A-T-ELLE SAUVÉ LE SOCIALISME EN DANGER ?

LE MOUVEMENT REVOLUTIONNAIRE DOIT
REPONDRE A CETTE QUESTION,
IL DOIT EMPECHER LES REACTIONNAIRES
D'EN FAIRE UNE ARME CONTRE LE
COMMUNISME.

NE LAISSONS PAS CONFONDRE

Socialisme et BUREAUCRATIE

VENDREDI 20 SEPT. à 18H30 FAC St CHARLES
MEETING - DEBAT
OUVERT A TOU'S

MOUVEMENT DU 11 MAI

cha para besarla; la muchacha le escupe al soldado. Asombro: ¿dónde estamos?, se preguntan muchos soldados soviéticos, por qué nos reciben así, con escupitajos, con insultos, con barricadas incendiadas, si venimos a salvar al comunismo de una conjura imperialista. ¿Dónde estamos?, se preguntan los soldados asiáticos, nos dijeron que veníamos a aplastar una insurrección en una república soviética, ¿dónde estamos?, ¿dónde? «Nosotros que vivimos toda nuestra vida para el porvenir», dice Aragon.

¿Dónde? Hay rabia, hay humor también, como en los ojos de Kundera. Trenes estrechamente vigilados: las tropas de apoyo que entran desde la Unión Soviética por ferrocarril pitan y pitan, caminan y caminan, dan vuelta en redondo y acaban por regresar al punto fronterizo de donde partieron. La resistencia a la invasión se organiza mediante transmisiones y recepciones radiales; el ejército soviético se enfrenta a una gigantesca broma: los guardagujas desvían los trenes militares, los camiones bélicos obedecen los signos equivocados de las carreteras, las radios de la resistencia checa son ilocalizables.

El buen soldado Schweik está al frente de las maniobras contra el invasor y el invasor se pone nervioso. El mariscal Grechko, comandante de las fuerzas del Pacto de Varsovia, manda ametrallar inútilmente la fachada del Museo Nacional de Praga; los ciudadanos de la patria de Kafka lo llaman el mural de El Grechko. Un soldado asiático, que nunca las ha visto, se estrella contra las puertas de vidrio en un comercio del metro de la plaza de San Wenceslao y los checos colocan una pancarta: Nada detiene al soldado soviético. Las tropas rusas entran de noche a Marienbad, donde se está proyectando una película de vaqueros en el cine al aire libre, escuchan los disparos de Gary Cooper, llegan cortando cartucho al auditorio y tiran contra la pantalla. Gary Cooper sigue caminando por la calle de un poblado herido para siempre con las balas de una broma amarga. Los espectadores de Marienbad pasan una mala noche y al día siguiente, como en *El vals del adiós* de Kundera, regresan a tomar las aguas.

Aragon prende su radio el 21 de agosto y escucha la condenación de «nuestras ilusiones perpetuas». Con él, esa madrugada, todos sabemos que, en nombre de la ayuda fraternal, «Checoslovaquia ha sido hundida en la servidumbre».

Mi amigo Milan

Fuimos invitados por la Unión de Escritores Checos en esa etapa extrañísima que va del otoño de 1968 a la primavera, la de 1969. Sartre y Simone de Beauvoir habían ido a Praga, también Nathalie Sarraute y otros novelistas franceses; creo que Grass y Böll también. Se trataba de fingir que nada había pasado; que aunque las tropas soviéticas estuviesen acampadas en las cercanías de Praga y sus tanques escondidos en los bosques, el gobierno de Dubcek aún podía salvar algo, no conceder su derrota, triunfar con la perseverancia humorística del soldado Schweik.

Los latinoamericanos teníamos títulos para hablar de imperialismos, de invasiones, de Goliates y Davides; podíamos defender, ley en una mano, historia en la otra, el principio de no intervención. Dimos una entrevista colectiva sobre estos asuntos para la revista literaria *Listy*, que entonces dirigía nuestro amigo Antonin Liehm. Fue la última entrevista que apareció en el último número de la revista. No hablamos de Brézhnev en Checoslovaquia, sino de Johnson en la República Dominicana.

No cesó de nevar durante los días que pasamos en Praga. Nos compramos gorros y botas. Cortázar y García Márquez, que son dos melómanos parejamente intensos, se arrebataban las grabaciones de óperas de Janácek; Kundera nos mostró partituras originales del gran músico checo que estaban entre los papeles del pianista, Kundera padre. Con Kundera comimos jabalí y *knedliks* en salsa blanca y bebimos *slivovicz* y trabamos una amistad que, para mí, ha crecido con el tiempo.

Compartía desde entonces, y comparto cada vez más con el novelista checo, una cierta visión de la novela como un elemento indispensable, no sacrificable, de la civilización que podemos poseer juntos un checo y un mexicano: una manera de decir las cosas que de otra manera no podrían ser dichas. Hablamos mucho, entonces, más tarde, en París, en Niza, en La Renaudière, cuando viajó con su esposa Vera a Francia y allí encontró un nuevo hogar porque en su patria «normalizada» sus novelas no podían ser ni publicadas ni leídas.

Se puede reír amargamente: la gran literatura de una lengua frágil y sitiada en el corazón de Europa tiene que ser escrita y publicada fuera de su territorio. La novela, género supuestamente en agonía, tiene tanta vida que debe ser asesinada. El cadáver exquisito debe ser prohibido porque resulta ser una cadáver peligroso. «La novela es indispensable al hombre, como el pan», dice Aragon en su prólogo a la edición francesa de *La broma*. ¿Por qué? Porque en ella se encontrará la clave de lo que el historiador —el mitógrafo vencedor— ignora o disimula.

«La novela no está amenazada por el agotamiento —dice Kundera—, sino por el estado ideológico del mundo contemporáneo. Nada hay más opuesto al espíritu de la novela, profundamente ligada al descubrimiento de la relatividad del mundo, que la mentalidad totalitaria, dedicada a la implantación de una verdad única.»

¿Escribiría quien esto dice, para oponerse a una ideología, novelas de la ideología contraria? De ninguna manera. Borges dice del Corán que es un libro árabe porque en él jamás se menciona a un camello. La crítica Elizabeth Pochoda hace notar que la longevidad de la opresión política en Checoslovaquia es atestiguada en las novelas de Kundera porque nunca es mencionada.

Condenar al totalitarismo no amerita una novela, dice Kundera. Lo que le parece interesante es la semejanza entre el totalitarismo y «el sueño inmemorial y fascinante de una sociedad armoniosa donde la vida privada y pública forman unidad y todos se reúnen alrededor de una misma voluntad y una

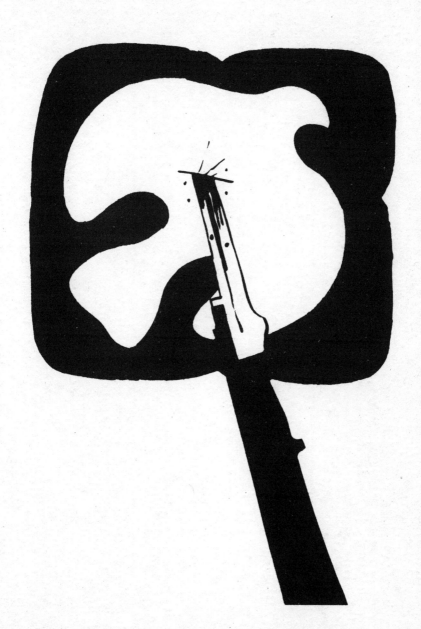

misma fe. No es azar que el género más favorecido en la época culminante del estalinismo fuese el idilio».

La palabra está dicha y nadie la esperaba. La palabra es un escándalo. Es muy cómodo guarecerse detrás de la grotesca definición del arte por José Stalin: «Contenido socialista y forma nacional». Es muy divertido y muy amargo (la broma amarga sí que estructura el universo de Kundera) traducir esta definición a términos pragmáticos, como se lo explica un crítico praguense a Philip Roth: el realismo socialista consiste en escribir el elogio del gobierno y el partido de tal manera que hasta el gobierno y el partido le entiendan.

El escándalo, la verdad insospechada, es esta que oímos por boca de Milan Kundera: el totalitarismo es un idilio.

IDILIO

Idilio es el nombre del viento terrible, constante y descompuesto que atraviesa las páginas de los libros de Milan Kundera. Es lo primero que debemos entender. Aliento tibio de la nostalgia, resplandor tormentoso de la esperanza: el ojo helado de ambos movimientos, el que nos conduce a reconquistar el pasado armonioso del origen y el que nos promete la perfecta beatitud en el porvenir, se confunden en uno solo, el movimiento de la historia. Únicamente la acción histórica sabría ofrecernos, simultáneamente, la nostalgia de lo que fuimos y la esperanza de lo que seremos. Lo malo, nos dice Kundera, es que entre estos dos movimientos en trance idílico de volverse uno la historia nos impide, simplemente, ser nosotros mismos en el presente. El comercio de la historia consiste en «venderle a la gente un porvenir a cambio de un pasado».

En su famosa conferencia de la Universidad de Jena en 1789 Schiller exigió el futuro ahora. El año mismo de la Revolución francesa, el poeta rechazó la amenaza de una promesa perpetuamente diferida para que así pudiese ser siempre una mentira sin comprobación posible: en consecuencia, una verdad, siempre promesa a costa de la plenitud del presente. El siglo de las luces consumó la secularización del milenarismo judeocristiano y, por primera vez, ubicó la edad de oro no sólo en la tierra, sino en el futuro. Del más antiguo chamán indio hasta don Quijote, de Homero a Erasmo, sentados todos alrededor del mismo fuego de los cabreros, el tiempo del paraíso era el pasado. A partir del irónico ideólogo del progreso infinito, Condorcet, el idilio sólo tiene un tiempo: el futuro. Sobre sus promesas se construye el mundo industrial de Occidente.

La aportación de Marx y Engels es reconocer que no sólo de porvenir vive el hombre. El luminoso futuro de la humanidad, cercenada por la Ilustración de todo vínculo con un pasado definido por sus filósofos como bárbaro e irracional, consiste para el comunismo en restaurar también el idilio original, la armonía paradisiaca de la propiedad comunal, el paraíso degradado por la propiedad privada. Pocas utopías más hermosas, en este sentido, que la descrita por Engels en su prólogo a *La dialéctica de la naturaleza*.

El capitalismo y el comunismo comparten la visión del mundo como vehículo hacia esa meta que se confunde con la felicidad. Pero si el capitalismo procede por vía de atomización, convencido de que la mejor manera de dominar es aislar, pulverizar y acrecentar las necesidades y satisfacciones igualmente artificiales de los individuos que necesitan más y se contentan más en función de su aislamiento mismo, el comunismo procede por vía de la integración total.

Cuando el capitalismo intentó salvarse a sí mismo con métodos totalitarios, movilizó a las masas, les puso botas, uniformes y esvástica al brazo. La parafernalia del fascismo violó las premisas operativas del capitalismo moderno, cuyos padrinos, uno en la acción, el otro en la teoría, fueron Franklin Delano Roosevelt y John Maynard Keynes. Es difícil combatir a un sistema que siempre se adelanta a criticarse y a reformarse a sí mismo con más concreción que la que le es dable de inmediato al más severo de sus adversarios. Pero ese mismo sistema carecerá de la fuerza de seducción de una doctrina que hace explícito el idilio, que promete tanto la restauración de la Arcadia como la construcción de la Arcadia por venir. Los sueños totalitarios han encendido la imaginación de varias generaciones de jóvenes: diabólicamente, cuando el idilio tenía su cielo en la cabalgata del Valhalla wagneriano y las legiones operísticas del nuevo Escipión; angelicalmente, cuando podía concitar la fe de Romain Rolland y André Malraux, Stephen Spender, W. H. Auden y André Gide. Se necesita, en cambio, ser camionero borracho o una solterona agria para salir a darse de golpes y sombrillazos por una Arcadia tan deslavada como el «sueño americano».*

Los personajes de Kundera giran en torno a este dilema: ¿ser o no ser en el sistema del idilio total, el idilio para todos, sin excepciones ni fisuras, idilio precisamente porque ya no admite nada ni nadie que ponga en duda el derecho de todos a la felicidad en una Arcadia única, paraíso del origen y paraíso del futuro? No sólo idilio, subraya Kundera en uno de sus cuentos, sino idilio para todos, pues

> todos los seres humanos, desde siempre, aspiran al idilio, a ese jardín donde cantan los ruiseñores, a ese reino de la armonía donde el mundo no se yergue enajenado contra el hombre y los hombres están, por el contrario, hechos de una misma materia y donde el fuego que brilla en las estrellas es el mismo que ilumina las almas. Allí, cada cual es una nota en una sublime fuga de Bach y quien no quiera serlo se convierte en un punto negro y desprovisto de sentido al cual basta agarrar y aplastar bajo la uña como una pulga.

Como una pulga, Milan Kundera, el otro K. de Checoslovaquia, no necesita acudir a forma alegórica alguna para provocar la extrañeza y la incomodidad con las que Franz Kafka inundó de sombras luminosas un mundo que ya existía sin sa-

---

* Obviamente, en 1968 yo no preveía el ascenso de George W. Bush a la presidencia de Estados Unidos. (*N. del A.*)

berlo. Ahora, el mundo de Kafka sabe que existe. Los personajes de Kundera no necesitan amanecer convertidos en insectos porque la historia de la Europa central se encargó de demostrarles que un hombre no necesita ser un insecto para ser tratado como un insecto. Peor: los personajes de Milan K. viven en un mundo donde todos los presupuestos de la metamorfosis de Franz K. se mantienen incólumes, con una sola excepción: Gregorio Samsa, la cucaracha, ya no cree que sabe, ahora sabe que cree.

Tiene forma humana, se llama Jaromil y es poeta.

EL SANTO NIÑO DE PRAGA

Durante la segunda guerra, el padre de Jaromil ha perdido la vida en aras de un absoluto concreto: proteger a una persona, salvarla de la delación, la tortura y la muerte. Esa persona era la amante del padre de Jaromil. La madre del poeta, quien siente una repugnancia tan absoluta hacia la animalidad física como su marido hacia la animalidad moral, lo engaña no por su sensualidad sino por inocencia.

Cuando el padre desaparece, la madre sale del reino de los muertos con su hijo entre brazos. Lo espera a la salida del colegio con una gran sombrilla. Encarnará la belleza de la tristeza a fin de invitar a su hijo a ser con ella esa pareja intocable: madre e hijo, amantes frustrados, protección absoluta a cambio de renuncia absoluta.

Lo mismo va a exigirle Jaromil primero al amor, a la revolución enseguida, a la muerte finalmente: entrega absoluta a cambio de protección absoluta. Es un sentimiento feudal, el que el siervo ofrecía a su señor. Jaromil cree que es un sentimiento poético: el sentimiento poético que le permite situarse no «fuera de los límites de su experiencia, sino bien por encima de ella».

Verlo, así, todo. Ser visto. Los mensajes del rostro, las miradas enigmáticas a través de una cerradura con la muchacha Magda en su tina (tan enigmática como el encuentro de los pies de Julien Sorel y Madame Renal debajo de la mesa), la lírica del cuerpo, de la muerte, de las palabras, de la ciudad, de los otros poetas (Rimbaud, Maiakovski, Wolker) constituyen el repertorio poético original de Jaromil. No quiere separarlo de su vida; quiere ser, como Rimbaud, el joven poeta que lo ve todo y es totalmente visto antes de volverse invisible y totalmente ciego. Todo o nada: se lo exige al amor de la pelirroja. Debe ser total o no será. Y cuando la amante no le promete toda su vida, Jaromil espera el absoluto de la muerte; pero cuando la amante no le promete la muerte, sino la tristeza, la pelirroja deja de tener una existencia real, correspondiente a la interioridad absoluta del poeta: todo o nada, vida o muerte.

Todo o nada: se lo exige a su madre más allá de las agrias y locas expectativas de la mujer, que quiere ser la amante frustrada de su hijo. El repertorio variado y ambiguo del chantaje materno absolutista, sin embargo, se descompone en demasiadas emociones parciales: piedad y reproche, esperanza, cólera, seducción. La madre del poeta —y Kundera nos dice que «en

la casa de los poetas, reinan las mujeres»— no puede ser Yocasta
y se vuelve Gertrudis, creyendo darle todo al hijo para que el
hijo continúe dándole hasta pagar lo imposible: es decir, todo.
Jaromil no será Edipo, sino Hamlet: el poeta que ve en su madre no el absoluto que añora, sino la reducción que asesina.

En la página más hermosa de esta maravilla narrativa que
es *La vida está en otra parte* (el capítulo 13 de la tercera parte),
Kundera nos sitúa a Jaromil en «el país de la ternura, que es el
país de la infancia artificial»:

> La ternura nace en el momento en que el hombre es es-
> cupido hacia el umbral de la madurez y se da cuenta, angustia-
> do, de las ventajas de la infancia que, como niño, no compren-
> día … La ternura es un intento de crear un ámbito artificial en
> el que pueda tener validez el compromiso de comportarnos
> con nuestro prójimo como si fuera una niño … La ternura es
> el temor a las consecuencias corporales del amor, es un intento
> de sustraer al amor del reino de la madurez … y considerar a la
> mujer como niña.

Es esta ternura imposible lo que Jaromil el poeta no va a
encontrar ni en su madre ni en su amante, ambas cargadas del
amor «insidioso, constrictivo, pesado de carnosidad y de respon-
sabilidad» propio de la edad adulta, sea el amor de la mujer con
su poeta amante o el de la madre con su hijo crecido. Es éste el
idilio irrecuperable en los seres humanos y que Jaromil va a buscar, y encontrar, en la revolución socialista: necesita el absoluto

para ser poeta, como Baudelaire necesitaba, para serlo, «estar siempre ebrio... de vino, de poesía o de virtud, a vuestro gusto».

EL POETA CRÉDULO

El lirismo, nos dice Milan Kundera, es una virtud y el hombre se emborracha para confundirse más fácilmente con el universo. La poesía es el territorio donde toda afirmación se vuelve verdad. La revolución también: es la hermana de la poesía. Y salva al joven poeta de la pérdida de su ternura en un mundo adulto, relativista. Poesía y revolución son absolutos; los jóvenes son «monistas apasionados, mensajeros del absoluto». El poeta y el revolucionario encarnan la unidad del mundo. Los adultos se ríen de ellos y así comienza el drama de la poesía y de la revolución.

La revolución le enseña entonces el camino a la poesía: «La revolución no quiere ser estudiada y observada, quiere que uno se haga uno con ella: es en ese sentido que es lírica y que el lirismo le es necesario». Gracias a esa unidad lírica, el temor máximo del joven poeta es dominado: el futuro deja de ser una incógnita. El porvenir se convierte en «esa isla milagrosa en la lejanía» porque «el porvenir deja de ser un misterio; el revolucionario lo conoce de memoria». Así, nunca habrá futuro: será siempre una promesa conocida, pero diferida, como la vida misma que concebimos en el instante de la ternura infantil.

Cuando encuentra esta identidad (esta fe), Jaromil se libera

de las exigencias del gineceo mentiroso, donde la parcialidad
egoísta del amor femenino aparece disfrazada con pretensiones
de absoluto. La incertidumbre de las épocas revolucionarias es
una ventaja para la juventud, «pues es el mundo de los padres
el que es precipitado en la incertidumbre». Jaromil descubre
que *su* madre le impedía encontrar a *la* madre perdida. Ésta es
la revolución y exige perderlo todo para ganarlo todo; sobre
todo la libertad:

> La libertad no comienza cuando los padres son rechazados o
> enterrados, sino cuando no hay padres. Cuando el hombre nace
> sin saber de quién es hijo.

El idilio revolucionario, lo vemos, lo sustituye todo, lo encarna todo, es a la vez parricidio y nuevo nacimiento y exige
más que los padres, más que la amante: «La gloria del deber
nace de la cabeza cortada del amor». La revolución contiene la
tentación idílica de apropiarse de la poesía y el poeta lo acepta
porque gracias a la revolución él y su poesía serán amados «por
el universo entero».

Idilio que suple las insuficiencias de la vida misma, el amor,
la madre, la amante, la infancia misma, elevándolas a la lírica
unitaria de la experiencia, la comunidad, la acción, el futuro.
Profecía armada que hace del poeta un profeta armado. ¿Cómo no rendirse ante este idilio y ofrecer en su altar todas nuestras acciones reales, cada vez más reales, más concretas, más revolucionarias?

El poeta puede ser un delator. Ésta es la realidad terrible que nos es dicha por *La vida está en otra parte*. Jaromil, el joven poeta, delata en nombre de la revolución, condena a los débiles, los envía con tanta seguridad como el juez al patíbulo y la inocencia nos muestra su sonrisa sangrienta. «El poeta reina con el verdugo» y no, subraya Kundera, porque el régimen totalitario haya deformado el talento del poeta, ni porque el poeta sea mediocre y busque el refugio totalitario, no: Jaromil no denuncia *a pesar* de su talento lírico, sino, precisamente, *gracias a él*.

No estamos acostumbrados a escuchar algo tan brutal y es preciso dejarle la palabra a Kundera, que ha vivido lo que nosotros sólo conocemos de trasmano, cuando se dirige a «nosotros»:

Todos los jóvenes contestatarios alrededor de ustedes, tan simpáticos por lo demás, hubiesen reaccionado, en la misma situación, de la misma manera. Si Paul Éluard hubiese sido checo, hubiese sido un poeta oficial y su corazón puro e inocente se hubiese identificado perfectamente con el régimen de los procesos y de las horcas. Me siento estupefacto ante la incapacidad occidental de ver su rostro en el espejo de nuestra historia. La tragicomedia que se representa en mi país es también la de vuestras ideas, vuestro entusiasmo, vuestras doctrinas, vuestro fanatismo, vuestros sueños y vuestra inocencia cruel.

Kundera tenía cuarenta y nueve años al escribir esto. A los ochenta, Aragon pudo decir: «Lo que sacrificamos de nosotros mismos, de nuestro pasado, es imposible de valorizar, pero lo hacíamos en nombre del porvenir de los demás».

El siglo se va a morir sin que este sacrificio engañoso vuelva a ser necesario. Basta morir, en nuestro tiempo, para defender la integridad del presente, de la presencia del ser humano: el que mata en nombre del porvenir de todos es un reaccionario.

LA UTOPÍA INTERNA

No es posible evadir la ardiente cuestión de las novelas de Milan Kundera. Es la cuestión de nuestro tiempo y posee una resonancia trágica, porque se dirime en la esencia de nuestra libertad posible. Esa cuestión es simplemente ésta: ¿cómo combatir la injusticia sin engendrar la injusticia? Es la pregunta de todo hombre actuante en nuestro tiempo. Ante el espectáculo de ese movimiento, Aristóteles se limitó a comprobar que la tragedia es «la imitación de la acción». Lo trágico no es lo pasivo ni lo fatal, sino lo actuante. Acaso la respuesta a la pregunta de Kundera, que es la nuestra, se encuentre entonces, más que en una respuesta, en una creación: la de un orden de valores capaz de absorber la causalidad épica de la historia y elevarla a un conflicto, ya no entre el bien y el mal, sino entre dos valores que quizás no sean el bien y el bien, pero que tampoco, seguramente, serán el mal y el mal.

La pérdida del paraíso, leemos en *La vida está en otra parte*, sólo nos permite distinguir la belleza de la fealdad, no el bien del mal. Adán y Eva se saben bellos o feos, no malos o buenos. La poesía está al lado de la historia, esperando ser descubierta, ser invitada a la historia por el poeta que confunde el idilio violento de la revolución con la tragedia serena de la poesía. El problema de Jaromil es el de Kundera: descubrir las avenidas invisibles que necesariamente parten de la historia pero conducen a todas las otras realidades apenas entrevistas, sospechadas, imaginadas, en la frontera entre el sueño y la vigilia, más allá de la estadística pero también más allá de la fantasía: esa realidad completa, sin sacrificios ni reducciones, cuyas puertas modernas fueron entreabiertas por Franz Kafka.

Coleridge imaginaba una historia contada no antes o después, por encima o por debajo del tiempo, sino, en cierto modo, al lado del tiempo, su compañera y su complemento indispensable. La avenida hacia esa realidad que completa y da sentido a la realidad certificable, inmediata, se encuentra en un plano extraordinario de la novela de Kundera, donde, verdaderamente, la vida se encuentra. La apertura hacia el lugar donde *la vida es* (la Utopía interna de esta novela) se encuentra en cada una de las palabras que nos cuentan la vida que es pero que no acaba de ser porque no se da cuenta de que su realidad hermana, posible, está al lado de ella, esperando ser vista. Más: esperando ser soñada.

Como en las películas de Buñuel, como el *Peter Ibbetson* de Du Maurier, como el surrealismo todo, la novela de Kundera

sólo existe plenamente si sabemos abrir las ventanas del sueño que contiene. Un misterio llamado Xavier es el protagonista del sueño que es un sueño del sueño, sueño dentro del sueño, sueño cuyos efectos perduran mientras un nuevo sueño, su hijo, su hermano, su padre, apunta dentro del sueño anterior. En esta epidemia de sueños que se contagian unos a otros, Xavier es el poeta que Jaromil pudo ser, que Jaromil es porque existió al lado de él o que, quizás, Jaromil será en el sueño de la muerte.

Lo importante es que en este sueño engastado, de muñecas rusas, similar al tiempo infinitamente oracular de Tristam Shandy en Auxerre, todo sucede por primera vez. En consecuencia, cuanto ocurre fuera del sueño es una repetición. Estamos aquí en un plano oscilante de la realidad total del mundo que Kundera nos ofrece con una inteligencia narrativa poco común. La historia, dijo Marx, se manifiesta primero como tragedia; su repetición es una farsa. Kundera nos interna en una historia que le niega todo derecho a la tragedia y a la farsa para consagrarse perpetuamente en el idilio.

Cuando el idilio se evapora y el poeta se convierte en delator, estamos autorizados a buscar al poeta en otra parte: su nombre es Xavier, vive en el sueño y allí la historia —no el sueño— es una farsa, una broma, una comedia. El sueño contiene esta farsa porque la historia la ha expulsado con horror de su idilio mentiroso. El sueño la acoge en reserva, esperando que la historia no se repita. Ése será el momento en que la historia deje de ser farsa y pueda ser el lugar donde está la vida.

Mientras tanto, la vida y el poeta están en otra parte y allí revelan sin tapujos la naturaleza farsante de la historia.

Los capítulos dedicados a Xavier responden a la pregunta: ¿el poeta no existe? con estas palabras: no, el poeta está en otra parte. Y ese lugar donde el poeta está pero donde el poeta actúa la historia como farsa plena es un sueño cómico que, de paso, revela la vasta influencia de Milan Kundera como maestro de los cineastas checos modernos. En el tránsito sin fisuras de un sueño a otro, la historia aparece como una farsa sin lágrimas. El melodrama de *La grande bretèche* de Balzac es representado por los hermanos Marx, que, como todos saben, son los padres de las hermanas Marx, las «pequeñas Margaritas» de la anarquía-en-el-socialismo imaginada por la cineasta Vera Chytilova. El sueño perverso del cine es la pesadilla y la ambición de Jaromil: ser visto por todos, sentir que «todas las miradas se volvían hacia él». En el cine, en el teatro, todos, los otros, los demás, nos ven. El terror cierto del cine expresionista alemán consiste en eso: la posibilidad de ser vistos siempre por otro, como el Mabuse de Fritz Lang nos ve incesantemente desde su celda en el manicomio, como Peter Lorre, el vampiro de Düsseldorf en *M*, es visto por los mil ojos de la noche mendicante.

Lo que ha sido visto por todos no puede pretender ni a la originalidad ni a la virginidad. Re-presentada como teatro onírico, re-escrita como novela imposible, la historia aparece siempre como una farsa. Pero si sólo hay farsa, esto es una tragedia. Tal es el sentido del chiste de Kundera. En un mundo despojado de humor, la broma puede ser el rechazo de un universo, «un calcetín en la estatua de Apolo», un policía encerrado para siempre en un armario, amurallado como personaje de Edgar Allan Poe interpretado por Buster Keaton. La broma, el humor, son excepción, liberación, revelación de la farsa, burla de la ley, ensayo de libertad. Por ello, la ley se convierte en crimen.

«Dura lex»

En ambos K., Kafka y Kundera, rige una normatividad hermética. La libertad no es posible porque la libertad es perfecta. Tal es la solemne realidad de la ley. No hay paradoja alguna. La libertad supone una cierta visión de las cosas, encierra la posibilidad mínima de darle un sentido al mundo.

Pero en el mundo de las leyes penales de Kafka y del socialismo científico de Kundera, esto no es posible. El mundo ya tiene un sentido y la ley se lo otorga, dice Kafka. Kundera añade: el mundo del socialismo científico ya tiene un sentido y la ley revolucionaria, historia objetivada, común e idílica, se lo otorga. Es inútil buscar otro sentido. ¿Insiste usted? Entonces será usted eliminado en nombre de la ley, la revolución y la historia.

Dado este presupuesto, la libertad auténtica se convierte en una empresa destructiva. La persona que se defiende se lesiona a sí misma: Josef K. en *El proceso*, el agrimensor en *El castillo*, todos los bromistas de Kundera. En cambio, Jaromil no sólo no se defiende. Ni siquiera ofrece una resistencia pasiva: se une entusiastamente al idilio político que es su idilio poético hipostasiado en acción histórica. La poesía convertida en farsa porque se identificó con el idilio histórico: el acto poético subversivo es restarle toda seriedad a esa historia, a esa ley. El acto poético es una broma. El protagonista de *La broma*, Ludvik Khan, le envía una tarjeta postal a su novia, una joven comunista seria y celosa que parece amar más a la ideología que a Ludvik. Como Ludvik no concibe amor sin humor, le envía una tarjeta postal a su novia con el siguiente mensaje:

> El optimismo es el opio del pueblo…
> ¡Viva Trotski!
>
>   (fdo.) LUDVIK

La broma le cuesta la libertad a Ludvik. «Pero, camaradas, era sólo una broma», trata de explicar antes de ser enviado a trabajos forzados en una mina de carbón. Humor con humor se paga, sin embargo. El Estado totalitario aprende a reírse de sus víctimas y perpetra sus propias bromas. ¿No lo es que Dubcek, por ejemplo, sea un inspector de tranvías en Eslovaquia? Si el Estado es el autor de las bromas, es porque ni siquiera esa libertad pretende dejarle a los ciudadanos, y entonces éstos, como el protagonista del cuento «Eduardo y Dios» de Kundera, pueden exclamar que «la vida es muy triste cuando no se puede tomar nada en serio».

Tal es la ironía final del idilio histórico: su portentosa solemnidad, su interminable entusiasmo, acaban por devorar hasta las bromas subversivas. La risa es aplastada cuando la broma es codificada por la perfección de la ley, que a partir de ese momento dice: «También esto es gracioso y ahora debes reír». Creo que no hay imagen más aterradora del totalitarismo que ésta creada por Milan Kundera: el totalitarismo abre la risa, la incorporación del humor a la ley, la transformación de las víctimas en objetos de humor oficial, prescrito e inscrito en las vastas construcciones fantásticas que, como los paisajes carcelarios de Piranesi o los tribunales laberínticos de Kafka, pretenden controlar los destinos.

El del joven poeta Jaromil en *La vida está en otra parte* se consume con una sola nota de salvación: la simetría positiva con el destino de su padre. Éste perdió la vida por el absoluto concreto de salvar a una persona. Jaromil la perdió por el absoluto abstracto de entregar a una persona. El padre de Jaromil actuó como actuó porque sintió que la necesidad de la historia es una necesidad crítica. Jaromil actuó como actuó porque sintió que la necesidad de la historia es una necesidad lírica. El padre murió, quizás, sin ilusiones pero también sin desilusiones. Deludido, el hijo se entrgó a una dialéctica del engaño en la que cada burla es trascendida y devorada por una burla superior.

El novelista Kundera, lector de Novalis, sólo busca esa instancia de la escritura que, relativa como toda narración, arriesgada como todo poema, aumente la realidad del mundo mientras dice que nada puede soportar el peso entero de la vida: ni la historia, ni el sexo, ni la política, ni la poesía.

EL RINCÓN DEL DESTINO

En abril de 1969, el socialismo democrático fue formalmente enterrado en Checoslovaquia. La primavera de Praga, en efecto, murió dos muertes. La primera, en agosto de 1968, cuando los tanques soviéticos entraron a impedir que las elecciones dentro del Partido Comunista se fundasen en el sufragio secreto. La segunda, cuando el gobierno de Dubcek, en su patria ocupada por el invasor «fraterno», buscó desesperadamente la solución obrera, ya que no pudo acudir a la solución armada. La Ley sobre la Empresa Socialista creaba los consejos de fábrica como centros democráticos de la iniciativa política en la base obrera. Fue el colmo: darle lecciones de política proletaria a Moscú. La URSS intervino decisivamente, mediante sus Quislings locales, Indra y Bilak, para determinar la caída final de Alexander Dubcek.

Milan Kundera define al socialismo democrático de Checoslovaquia: «Un intento de crear un socialismo sin una policía secreta omnipotente; con libertad para la palabra dicha y escrita; con una opinión pública cuya existencia es reconocida y tomada en cuenta; con una cultura moderna desarrollándose libremente; y con ciudadanos que han dejado de tener miedo».

¿Quién quiere reír? ¿Quién quiere llorar? La broma en Checoslovaquia la hace ahora el Estado. Eso aprendió de sus enemigos: el humor, así sea macabro. ¿Quiere usted escribir novelas? Supere entonces mi broma, perfectamente legal, sancionada y ejecutada en nombre del idilio: dos enterradores, enviados por el gobierno de Praga, llegan, féretro en hombros, a casa de uno de los firmantes de la Carta 77, que reclama el cumplimiento en Checoslovaquia de las disposiciones sobre garantías fundamentales suscritas en Helsinki. La policía les anunció que el firmante había muerto. El firmante dice que no ha muerto. Pero cuando cierra la puerta, se detiene un instante y se pregunta si, en efecto, no ha muerto.

Voy a buscar pronto a mi amigo Milan para seguir conversando con él, cada día más cargado de hombres, más ensimismado, más ausente en la profundidad de su mundo negro y claro, donde el optimismo cuesta caro porque es demasiado barato y donde la novela se sitúa más allá de la esperanza y la desesperanza, en el territorio humano de los destinos conmovidos y las verdades relativas, que es el de los autores que él y yo amamos y leemos, Cervantes y Kafka, Mann y Broch, Laurence Sterne. Pues si en la historia la vida está en otra parte porque en la historia un hombre puede sentirse responsable de su destino pero su destino puede desentenderse de él, en la literatura hombre y destino se responsabilizan mutuamente porque uno y otro no son una definición o una prédica de verdad alguna, sino una constante redefinición de cada ser humano en cuanto problema. Éste es el sentido del destino de

Jaromil en *La vida está en otra parte*, de Ludvik en *La broma*, de la enfermera Ruzena, el trompetista Klima y el doctor Skreta, que inyecta su semen a las mujeres histéricamente estériles, en la más acabada e inquietante de las novelas de Kundera, *El vals del adiós*.

Porque, al contrario de los amos de la historia, Milan Kundera está dispuesto a darlo todo por su propio destino y el de sus personajes fuera del «idilio inmaculado» que pretende darlo todo y no da nada. La ilusión del porvenir ha sido el idilio de la historia moderna. Kundera se atreve a decir que el porvenir *ya tuvo lugar*, bajo nuestras narices, y huele mal.

Y si el porvenir ya tuvo lugar, sólo son posibles dos actitudes. Una, reconocer la farsa. Otra, recomenzar, replantear los problemas humanos. En ese rincón final del espíritu cómico y la sabiduría trágica donde el idilio no penetra con su luz histórica e histriónica, Milan Kundera escribe algunas de las grandes novelas de nuestro tiempo.

Su rincón no es una cárcel: ésta, nos advierte Kundera, es otro sitio del idilio que se solaza en iluminar teatralmente hasta las más impenetrables sombras penitenciarias. Tampoco es un circo: el poder se ha encargado de robarle la risa a los ciudadanos para obligarlos a reír legalmente.

Es la utopía interna, el espacio real de la vida intocable, el reino del humor donde Plutarco, citado por Aragon, conoce el carácter de la historia mejor que en los combates más sanguinarios o en los asedios más memorables.

TLATELOLCO: 1968

—Nadie tiene derecho a reconocer un cadáver. Nadie tiene derecho a llevarse a un muerto. No va a haber en esta ciudad quinientos cortejos fúnebres mañana. Arrójenlos a la fosa común. Que nadie los reconozca.

Desaparézcanlos.

Laura Díaz fotografió a su nieto Santiago la noche del 2 de octubre de 1968. Ella llegó caminando desde la Calzada de la Estrella para ver la entrada de la marcha a la Plaza de las Tres Culturas. Había venido fotografiando todos los sucesos del movimiento estudiantil, desde las primeras manifestaciones a la creciente presencia de los cuerpos de policía al bazukazo contra la puerta de la Preparatoria a la toma de la Ciudad Universitaria por el Ejército a la destrucción arbitraria de laboratorios y bibliotecas por los sardos a la marcha universitaria de protesta encabezada por el rector Javier Barros Sierra seguido por toda la comunidad universitaria a las concentraciones en el Zócalo gritándole al presidente Gustavo Díaz Ordaz «sal al balcón, hocicón» a la marcha del silencio con cien mil ciudadanos amordazados.

Laura grabó las noches de discusión con Santiago y Lourdes y la docena o más de jóvenes hombres y mujeres apasionados por los acontecimientos. El niño de dos años, el Santiago IV, estaba dormido en la pieza que la abuela le preparó en el apartamento de la Plaza Río de Janeiro, desalojando archivos viejos, deshaciéndose de cachivaches inservibles que en realidad eran recuerdos preciosos, pero Laura le dijo a Lourdes que si a los setenta años ella no había archivado en la memoria lo que resultaba digno de recuerdo, iba a hundirse bajo el peso del pasado indiscriminado. El pasado tenía muchas formas. Para Laura, era un océano de papel.

¿Qué era una fotografía, después de todo, si no un instante convertido en eternidad? El flujo del tiempo era imparable y conservarlo en su totalidad sería la fórmula de la locura misma, el tiempo que ocurre bajo el sol y las estrellas seguiría transcurriendo, con o sin nosotros, en un mundo deshabitado, lunar. El tiempo humano era un sacrificio de la totalidad para privilegiar el instante y darle, al instante, el prestigio de la eternidad. Todo lo decía el cuadro de su hijo Santiago el Menor en la sala del apartamento: no caímos, ascendimos.

Laura barajó con nostalgia las hojas de contacto, tiró a la basura lo que le pareció inservible y desalojó el cuarto para que lo ocupara su bisnieto. ¿Lo pintamos de azul o de rosa?, rió Lourdes y Laura se rió con ella; mujer u hombre, el bebé dormiría en una cuna rodeada de olores de película, los muros estaban impregnados del inconfundible perfume de la fotografía húmeda, el revelado y las copias colgadas, como ropa

MEXICO 68

recién lavada, de ganchos de madera más propios de un ten-
dedero.

Vio el entusiasmo creciente de su nieto y hubiera querido
prevenirlo, no te dejes arrastrar por el entusiasmo, en México
la desilusión castiga muy pronto al que tiene fe y la lleva a la
calle: lo que nos enseñaron en la escuela, le repetía Santiago a
sus compañeros, muchachos entre los diecisiete y los veinticinco años, morenos y rubios, como es México, un país arco
iris, dijo una linda muchacha de melena hasta la cintura, tez
muy oscura y ojos muy verdes, un país de rodillas al que hay
que poner de pie, dijo un chico moreno, alto pero con ojos
muy pequeños, un país democrático, dijo un muchacho blanco y bajito, musculoso y sereno pero con anteojos que le res-
balaban continuamente por la nariz, un país unido a la gran revuelta de Berkeley, Tokio y París, un país en el que no sea
prohibido prohibir y la imaginación tome el poder, dijo un
chico rubio, muy español, de barba cerrada y mirada intensa,
un país en que no nos olvidemos de los demás, dijo otro muchacho de aspecto indígena, muy serio y escondido detrás de
espejuelos gruesos, un país en que nos podamos querer todos,
dijo Lourdes, un país sin explotadores, dijo Santiago, no hace-
mos más que llevar a la calle lo que nos enseñaron en la escuela, nos educaron con ideas llamadas democracia, justicia, libertad, revolución; nos pidieron creer en todo esto, doña Laura,
¿te imaginas, abuela, un alumno o un maestro defendiendo
dictadura, opresión, injusticia, reacción?, pero se expusieron a
que les viéramos las caras, dijo el trigueño alto, y les reclamá-

semos, dijo el chico indígena de gruesos anteojos, oigan, ¿dónde está lo que nos enseñaron en las escuelas?, oigan, añadió su voz al coro la muchacha morena de ojos verdes, ¿a quiénes creen que engañan?, miren, dijo el muchacho de barba cerrada y mirada intensa, atrévanse a mirarnos, somos millones, treinta millones de mexicanos menores de veinticinco años, ¿creen que nos van a seguir engañando?, saltó el intenso chico alto y de ojos pequeños, ¿dónde está la democracia, en elecciones de farsa organizadas por el PRI con urnas retacadas de antemano?, ¿dónde está la justicia —continuó Santiago— en un país donde sesenta personas tienen más dinero que sesenta millones de ciudadanos?, ¿dónde está la libertad?, preguntó la muchacha de melena hasta la cintura, ¿en los sindicatos maniatados por líderes corruptos, en los periódicos vendidos al gobierno?, añadió Lourdes, ¿en la televisión que oculta la verdad?, ¿dónde está la revolución?, concluyó el chico blanco y bajito, musculoso y sereno, ¿en los nombres dorados de Villa y Zapata inscritos en la Cámara de Diputados?, concluyó Santiago, ¿en las estatuas cagadas por los pájaros nocturnos y por los jilgueros madrugadores que hacen los discursos del PRI?

No serviría de nada prevenirlo. Había roto con sus padres, se había identificado con su abuela, ella y él, Laura y Santiago, se habían hincado juntos una noche en pleno Zócalo y juntos pegaron las orejas al suelo y oyeron juntos lo mismo, el tumulto ciego de la ciudad y del país, a punto de estallar…

—El infierno de México —dijo entonces Santiago—. ¿Es fatal el crimen, la violencia, la corrupción, la pobreza?

162

—No hables, hijo. Escucha. Antes de fotografiar, yo siempre escucho...

Y ella que quisiera heredarles a sus descendientes una libertad luminosa. Los dos levantaron las caras de la piedra helada y se miraron con una interrogante llena de cariño. Laura supo entonces que Santiago iba a actuar como actuó, ella no iba a decirle tienes mujer, tienes hijo, no te comprometas. Ella no era Dantón, no era Juan Francisco, ella era Jorge Maura, ella era el gringo Jim en el frente del Jarama, el joven Santiago el Mayor fusilado en Veracruz. Ella era de los que podrían dudar de todo pero no dejaban de actuar por nada.

Santiago su nieto, en cada marcha, en cada discurso, en cada asamblea universitaria, encarnaba el cambio y su abuela lo seguía, lo fotografiaba, él era insensible al hecho de ser fotografiado y Laura lo veía con cariño de camarada: ella grabó con su cámara todos los momentos del cambio, a veces cambio por la incertidumbre, a veces cambio por la certeza, pero al final toda certeza —en los actos, en las palabras— era menos cierta que la duda. Lo más incierto era la certeza.

Laura sintió en las jornadas de la rebelión estudiantil, a la luz del sol o de las antorchas, que el cambio era cierto porque era incierto. Por su memoria pasaron los dogmas que había escuchado durante su vida, desde las posiciones antagónicas, casi prehistóricas, entre los aliados franco-británicos y los poderes centrales en la guerra de 1914, la fe comunista de Vidal y la fe anarquista de Basilio, la fe republicana de Maura y la fe franquista de Pilar, la fe judeo-cristiana de Raquel y también la confusión de Harry, el oportunismo de Juan Francisco, el cinismo voraz de Dantón y la plenitud espiritual del segundo Santiago, su otro hijo.

Este nuevo Santiago era, a través de su abuela Laura Díaz, el heredero de todos ellos, lo supiera o no. Los años con Laura Díaz habían formado los días de Santiago el Nuevo, así lo llamó, como si fuese el nuevo apóstol de la línea larga de homónimos del hijo de Zebedeo que fue testigo de Getsemaní la noche de la transfiguración de Cristo. Los Santiagos, «hijos del trueno», todos muertos con violencia. Santiago el Mayor atravesado por las espadas de Herodes. Santiago el Menor muerto a garrotazos por órdenes del Sanedrín.

Santos Santiagos la historia tenía dos; ella, Laura, tenía ya cuatro del mismo nombre y un nombre, se dijo la abuela, es la manifestación de nuestra naturaleza más íntima. Laura, Lourdes, Santiago.

Ahora la fe de los amigos y amantes de todos los años con Laura Díaz era la fe del nieto de Laura Díaz que entraba con centenares de jóvenes mexicanos, hombres y mujeres, a la Plaza de las Tres Culturas, el antiguo centro ceremonial azteca de Tlatelolco sin más iluminación que la agonía del atardecer en el antiguo valle de Anáhuac, todo era viejo aquí, pensó Laura Díaz, la pirámide indígena, la iglesia de Santiago, el convento y colegio franciscanos, pero también los edificios modernos, la Secretaría de Relaciones Exteriores, los apartamentos multifamiliares; quizás lo más reciente era lo más viejo, porque era lo que resistía menos, era ya lo cuarteado, lo despintado, los

164

vidrios rotos, la ropa tendida, el llanto de demasiadas lluvias arrepentidas y sollozos derramados por los muros: iban encendiéndose los faroles de la plaza, los reflectores de los edificios prestigiosos, los interiores visibles de cocinas, terrazas, salas y recámaras; iban entrando centenares de jóvenes por un lado, los iban cercando docenas de soldados por los otros lados, aparecieron sombras agitadas en las azoteas, puños de guante blanco se levantaron y Laura fotografió la figura de su nieto Santiago, su camisa blanca, su estúpida camisa blanca como si pidiera él mismo ser blanco de las balas y su voz diciéndole abuela, no cabemos en el futuro, queremos un futuro que nos dé cabida a los jóvenes, yo no quepo en el futuro inventado por mi padre y Laura le dijo que sí, al lado de su nieto ella también había entendido que toda su vida los mexicanos habían soñado un país distinto, un país mejor, lo soñó el abuelo Felipe que emigró de Alemania a Catemaco y el abuelo Díaz que salió de Tenerife rumbo a Veracruz, soñaron con un país de trabajo y honradez, como el primer Santiago soñó con un país de justicia y el segundo Santiago con un país de serenidad creativa y el tercer Santiago, este que entraba entre la multitud de estudiantes a la Plaza de Tlatelolco la noche del 2 de octubre de 1968, continuaba el sueño de sus homónimos, sus «tocayos», y viéndolo entrar a la plaza, fotografiándolo, Laura dijo hoy el hombre al que amo es mi nieto.

Disparaba su cámara, la cámara era su arma disponible y disparaba sólo hacia su nieto, se dio cuenta de la injusticia de su actitud, entraban a la plaza centenares de hombres y mujeres jóvenes pidiendo un país nuevo, un país mejor, un país fiel a sí mismo y ella, Laura Díaz, sólo tenía ojos para la carne de su carne, para el protagonista de su descendencia, un muchacho de veintitrés años, despeinado, con camisa blanca y tez morena y ojos verde-miel y dientes de sol y músculo terreno.

Soy tu compañera, le dijo de lejos Laura a Santiago, ya no soy la mujer que fui, ahora soy tuya, esta noche te entiendo, entiendo a mi amor Jorge Maura y al Dios que él adora y por el que lame con la lengua los pisos de un monasterio en Lanzarote, yo le digo, Dios mío, quítame todo lo que he sido, dame enfermedad, dame muerte, dame fiebre, chancros, cáncer, tisis, dame ceguera y sordera, arráncame la lengua y córtame las orejas, Dios mío, si eso es lo que hace falta para que se salve mi nieto y se salve mi país, mátame de males para que tengan salud mi patria y mis hijos, gracias, Santiago, por enseñarnos a todos que aún había cosas por las que luchar en este México dormido y satisfecho y engañoso y engañador de 1968 Año de las Olimpiadas, gracias hijo mío por enseñarme la diferencia entre lo vivo y lo muerto, entonces la conmoción en la plaza fue como el terremoto que derrumbó al Ángel de la Reforma, la cámara de Laura Díaz subió a las estrellas y no vio nada, bajó temblando y se encontró el ojo de un soldado mirándola como una cicatriz, disparó la cámara y dispararon los fusiles, apagando los cantos, los lemas, las voces de los jóvenes, y luego vino el silencio espantoso y sólo se escucharon los gemidos de los jóvenes heridos y moribundos, Laura buscando la figura de Santiago y encontrando sólo los guantes blancos en el firmamento que se iba cerrando en puños insolentes, «deber cumplido», y la impotencia de las estrellas para narrar nada de lo ocurrido.

A culatazos sacaron a Laura de la plaza, la sacaron no por ser Laura, la fotógrafa, la abuela de Santiago, sacaron a los testigos, no querían testigos, Laura se ocultó bajo las amplias faldas su rollo de película dentro del calzón, junto al sexo, pero ella ya no pudo fotografiar el olor de muerte que asciende de la plaza empapada de sangre joven, ella ya no puede captar el cielo cegado de la noche de Tlatelolco, ella ya no puede imprimir el miedo difuso del gran cementerio urbano, los gemidos, los gritos, los ecos de la muerte… La ciudad se oscurece.

¿Ni siquiera Dantón Pérez-Díaz, el poderoso don Dantón, tiene derecho a recuperar el cadáver de su hijo? No, ni siquiera él.

¿A qué tienen derecho la joven viuda y la abuela de Santiago el joven líder rebelde? Si quieren, pueden recorrer la morgue e identificar el cadáver. Como una concesión al señor licenciado don Dantón, amigo personal del señor presidente don Gustavo Díaz Ordaz. Podían verlo pero no recogerlo y enterrarlo. No habría excepciones. No habría quinientos cortejos fúnebres el día 3 de octubre de 1968 en la Ciudad de México. El tránsito se haría imposible. Se violarían los reglamentos.

Entraron Laura y Lourdes al galerón helado donde una extraña luz de perla iluminaba los cadáveres desnudos tendidos sobre planchas de madera montadas en potros.

Laura temió que la muerte desnudase de personalidad a las víctimas desnudas de la sedicia de un presidente enloquecido por la vanidad, la prepotencia, el miedo y la crueldad. Ésa sería su victoria final.

—Yo no he matado a nadie. ¿Dónde están los muertos? A ver, que digan algo. Que hablen. ¡Muertitos a mí!

No eran muertos para el presidente. Eran alborotadores, subversivos, comunistas, ideólogos de la destrucción, enemigos de la Patria encarnada en la banda presidencial. Sólo que el águila, la noche de Tlatelolco, huyó de la banda presidencial, se fue volando lejos, y la serpiente, avergonzada, mejor mudó de piel, y el nopal se agusanó y el agua del lago volvió a incendiarse. Lago de Tlatelolco, trono de sacrificios, desde lo alto de la pirámide fue arrojado el rey tlatilca en 1473 para consolidar el poder azteca, desde lo alto de la pirámide fueron derribados los ídolos para consolidar el poder español, por los cuatro costados Tlatelolco era sitiado por la muerte, el tzompantli, el muro de las calaveras contiguas, superpuestas, unidas unas a otras en un inmenso collar fúnebre, miles de calaveras formando la defensa y la advertencia del poder en México, levantado, una y otra vez, sobre la muerte.

Pero los muertos eran singulares, no había un rostro igual a otro, ni un cuerpo idéntico a otro, ni posturas uniformes. Cada bala dejaba un florón distinto en el pecho, la cabeza, el muslo, del joven asesinado, cada sexo de hombre era un reposo diferente, cada sexo de mujer una herida singular, esa diferencia era el triunfo de los jóvenes sacrificados derrotando

una violencia impune que se sabía absuelta de antemano. La prueba era que, dos semanas más tarde, el presidente Gustavo Díaz Ordaz inauguraría los Juegos Olímpicos con un vuelo de pichones de la paz y una sonrisa de satisfacción tan amplia como su hocico sangriento. En el palco presidencial, con sonrisas de orgullo nacional, estaban sentados los padres de Santiago, don Dantón y doña Magdalena. El país había vuelto al orden gracias a la energía sin complacencias del Señor Presidente.

Cuando reconocieron el cadáver de Santiago en la morgue improvisada, Lourdes se arrojó llorando sobre el cuerpo desnudo de su joven marido pero Laura acarició los pies de su nieto y colgó una etiqueta del pie derecho de Santiago:

SANTIAGO EL TERCERO
1944-1968
UN MUNDO POR HACER

Abrazadas, la vieja y la joven miraron por última vez a Santiago y salieron compartiendo un miedo difuso, ilocalizable. Santiago había muerto con una mueca de dolor. Laura vivió deseando que la sonrisa del muerto le devolviera la paz al cadáver y a ella.

—Es un pecado olvidar, es un pecado —se repetía sin cesar, diciéndole a Lourdes, no tengas miedo, pero la joven viuda lo sentía, cada vez que tocaban a la puerta se preguntaba, ¿será él, será un fantasma, un asesino, un ratón, una cucaracha?

—Laura, si tuvieras el chance de meter en una jaula a alguien como un escorpión y dejarlo colgado allí, sin pan ni agua…

—No lo pienses, hija. No lo merece.

—¿En qué piensas, Laura, aparte; aparte de él?

—Pienso que hay quienes sufren y son insustituibles por su sufrimiento.

—Pero ¿quién asume el dolor de los demás, quién está disculpado de esta obligación?

—Nadie, hija, nadie.

Habían entregado la ciudad a la muerte.

La ciudad era un campamento de bárbaros.

Tocaron a la puerta.

Los 68
Carlos Fuentes

Esta obra se terminó de imprimir en agosto del 2005
En los talleres de Litográfica Ingramex. S.A. de C.V.
Centeno 162-1 Col. Granjas Esmeralda
C.P. 09810 México, D.F.

Certificado No. 02-2082